TIMELINE & ICEBERG

冰山練習曲

文・圖

李崇建　辜筱茜

行為/故事/事件

應對姿態　　　　　指責、討好、超理智、打岔、一致性

感受　　　　　　　生理：痠、痛、緊……
　　　　　　　　　心理：生氣、害怕、難過……

感受的感受　　　　例：對自己的難過感到生氣

觀點　　　　　　　經驗、成見、觀念、規條

期待　　　　　　　對自己、對他人、來自他人的

　　　　　　　　　（人共有的）
渴望　　　　　　　愛、接納、自由、價值、意義

大我　　　　　　　本質、靈性、核心、生命力、精神

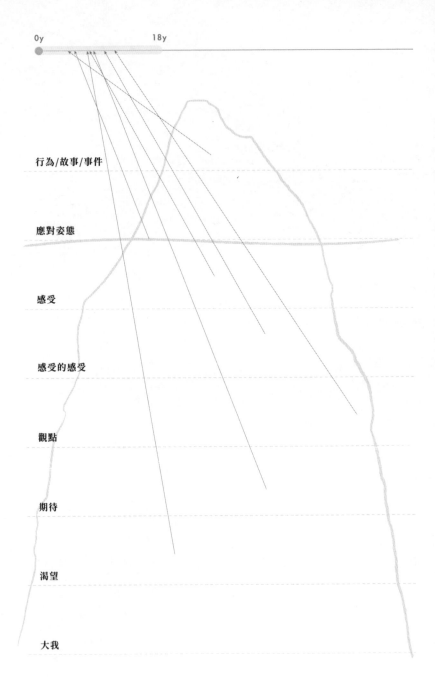

行為/故事/事件

應對姿態

感受

感受的感受

觀點

期待

渴望

大我

0y

18y

回溯：

從什麼時候開始的？

以前有這樣的經驗嗎？

從事件層次回溯：

這樣的狀況以前遇過嗎？

以前面對這樣的事件，你會怎麼處理？

以前遇過類似的事件嗎？

從應對姿態層次回溯：

以前曾這樣被指責嗎？

有過被遺棄的經驗嗎？

有誰這樣對你，讓你生氣嗎？

從感受回溯：

類似的感覺，以前有過嗎？

什麼時候曾被挑起這樣感受？

當孩子做不好，你生氣了。

以前你做不好的時候，有誰對你生氣嗎？

0y 18y

行為/故事/事件

應對姿態

感受

感受的感受

觀點

期待

渴望

大我

從觀點回溯：

這個看法怎麼來的？

這個觀點什麼時候開始有的？

父母與這個觀點形成有關係嗎？

從期待回溯：

類似期待以前有過嗎？

這個未滿足的期待，過去有類似的嗎？

這個未滿足的期待，有勾起你什麼嗎？

當過去有未滿足的期待，爸媽怎麼應對你呢？

從渴望回溯：

以前也覺得自己不被愛嗎？

什麼時候覺得自己不被愛？

曾經覺得自己沒價值嗎？

什麼時候會覺得自己沒價值？

過去這樣的狀況，有誰不接納你嗎？

這樣被困住的感覺，不能自由選擇，以前也有過嗎？

探索：

回溯成因，不預設立場。

具體事件，事件帶來的衝擊，帶入細節但不八卦，不停留在事件。

核對：

語意、目標、冰山

界線：我訊息、規則

體驗：

敘述（傾聽、表達）

述情（在感受中停頓）　　　　　　悲心

擺盪：辨識過去與此刻

轉化：

資源（在敘述中發掘）

渴望（在生命裡工作）　　　　　　慈心

在正向處停頓

落實：

重新應對卡住的層次，回到冰山各層次。

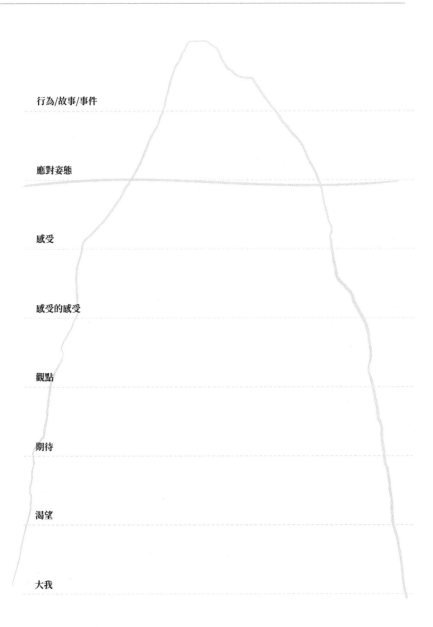

行為/故事/事件

應對姿態

感受

感受的感受

觀點

期待

渴望

大我

關懷人為主：

即是探索一個人冰山的各個層次，而不只是停留在冰山表面。

事件發生了，人會怎麼應對呢？

應對姿態：

當壓力來臨，你是指責、討好、講道理？

開玩笑、故意不在乎，或是逃避呢？

感受：

這個人的感受如何呢？

這個人對這樣的感受，會拒絕覺察嗎？或是感覺不到嗎？或是感受很多？

感受的感受：

對這樣的感受，能感到新的感受嗎？比如對自己的生氣，感到痛苦。

對自己的難過，感到生氣。

觀點：

對事件有何看法呢？對事件當事人有何看法呢？對事件中的自己，有何看法呢？

期待：

對事件有何期待呢？對事件中牽涉的人有何期待呢？對事件中的自己，有何期待呢？他人對事件的期待，有影響嗎？

渴望：

事件中你會覺得自己被愛嗎？或者不被愛嗎？事件中會覺得自己有價值嗎？或者沒價值？會覺得自己不被接納嗎？或深深的接納？

自我：

你是誰？

你的本質為何？

核心是什麼？

有體驗生命的靈性嗎？

有活出生命力嗎？

人生中事件的發生，產生衝擊的是人。

關注人的發生，有助於了解人怎麼了？

衝擊影響人的應對，探索冰山內在，讓人覺察自己，重整冰山內在，
重新決定自己。

請選一個自己的事件，寫出事件下方，冰山的各層次。

行為/故事/事件

應對姿態

感受

感受的感受

觀點

期待

渴望

大我

阿寶與阿貝是好姊妹，十幾年的交情了，兩人常常談心事，是很親密的姊妹淘。兩人決定合夥做生意，姊妹淘合作事業，肯定事半功倍，這是兩人共有的信念。

阿寶工作勤奮，批貨、採辦、策劃、販售都一手包辦，阿貝很有創意，很會設計與包裝，兩人看來真是天作之合。

事業的初期兩人都累，阿寶一邊要進貨，一邊要販售。

某天阿寶忙不過來，有個重要客戶要批貨，但是同時又需要進貨，請阿貝幫忙跟批發商接洽，希望阿貝去談價錢。阿貝不願意幫忙，阿貝認為那是阿寶的責任。阿寶挫折極了，為何好姊妹，卻不能同甘共苦？

阿貝也挫折極了，好朋友也要負責呀！
阿寶覺得委屈，難道自己不負責嗎？抽出身來幫忙，講個好價錢，有這麼難嗎？

阿貝也委屈，自己沒日沒夜設計與包裝，這樣還不夠嗎？
兩人吵架了，嘔氣不講話好一段時間。

阿寶很少麻煩別人，從小就是獨立、盡責的女孩，她生長在單親家庭，10歲爸媽離婚之後，爸爸組織了新家庭，阿寶再也沒看過爸爸，她有很深的被遺棄感，這種被遺棄的感覺，讓她孤單、受傷，也感到憤怒。

當阿貝拒絕阿寶的時候，阿寶也有被遺棄感。

阿貝則向來敏感害羞，她害怕面對人群，害怕與陌生人接觸。

阿貝在嚴格家庭長大，爸媽愈要她勇敢，她就愈退縮，國中時期拒學一陣子，她沒什麼朋友，最好的朋友就是阿寶。

當阿寶要阿貝談價錢，那正是阿貝最懼怕之處，除了要面對陌生人，還要跟人討價還價。阿貝生氣阿寶不理解她，也生氣自己很沒用。

阿寶的過去，與此刻的事件，有什麼關聯嗎？試著寫出來：
阿寶此刻的冰山各層次，各有什麼狀況？試著寫出來。

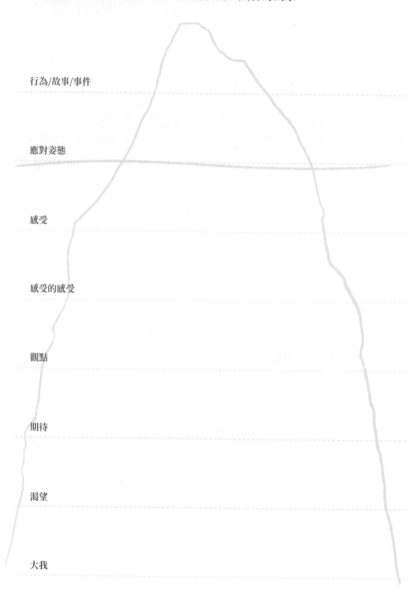

行為/故事/事件

應對姿態

感受

感受的感受

觀點

期待

渴望

大我

　阿寶與阿貝的冰山各層次

阿貝的過去，與此刻的事件，有什麼關聯嗎？試著寫出來：
阿貝此刻的冰山各層次，各有什麼狀況？試著寫出來。

行為/故事/事件

應對姿態

感受

感受的感受

觀點

期待

渴望

大我

五歲的男孩，起床會尿褲子，母親表示自己並未責罵他。但是男孩若是尿床了，起床就大發脾氣，說自己再也不要睡覺了！並且嚷嚷著，生氣的說：「妹妹為何都不會尿床？但是我卻會尿床？」

媽媽說：「因為尿濕了，所以你很生氣，對嗎？」

男孩仍舊站在那裡，不斷生氣、哭或亂叫。

媽媽說：「我知道你不是故意的，沒關係！」

男孩依然不停的哭泣，生氣著、哭鬧著。

媽媽要抱抱男孩，想要安慰他，男孩拒絕媽媽。

當你看見男孩狀況，你有什麼好奇嗎？

能寫出一點自己的好奇嗎？

比如我的好奇：

男孩怎麼會尿床，就大發脾氣呢？

男孩這句話，是從哪裡學來的呢：「妹妹為何都不會尿床？但是我卻會尿床？」

媽媽內在有何衝擊呢？會生氣嗎？會沮喪嗎？會無奈嗎？

媽媽說：「我知道你不是故意的，沒關係！」男孩有故意犯錯的時候嗎？

男孩表現不如期待時，媽媽平常怎麼應對呢？

媽媽後來怎麼結束的呢？

媽媽有再跟男孩討論嗎？當男孩情緒平穩的時刻？

以前男孩哭鬧的時候，爸爸、媽媽，可能會有什麼應對呢？

請試著填上男孩的冰山各層次，下一頁是我填入男孩冰山。

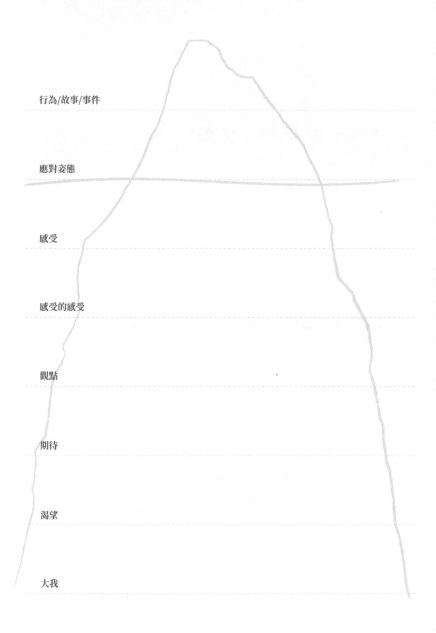

行為/故事/事件

應對姿態

感受

感受的感受

觀點

期待

渴望

大我

行為/故事/事件	尿床、哭鬧。
應對姿態	指責。
感受	生氣→生妹妹的氣。生氣→生媽媽的氣(莫名)。 生氣→生自己氣。羞愧、難過。
感受的感受	生氣。(可能的評估:對生氣感到生氣、對羞愧感到生氣。)
觀點	尿床很不應該。可能生氣也不應該。 我不是個好孩子。我很糟糕。
期待	期待自己是個好小孩。期待自己沒有尿床。 期待自己比妹妹好。期待媽媽安慰他。 (但是,媽媽安慰了,卻又拒絕媽媽,原因在觀點上。)
渴望	自己是被接納的。 自己是被愛的。 自己是有價值的。
大我	**無法和諧自在。** **生命力衝撞。**

如果你是父母，請想像你會怎麼應對？

請試著將你的應對方式寫出來。

請試著想像，如果你是那位母親，

當你寫完應對之後，填上你的冰山各層次。

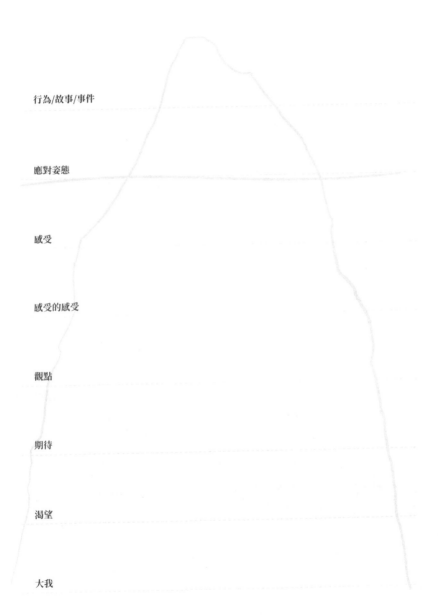

行為/故事/事件

應對姿態

感受

感受的感受

觀點

期待

渴望

大我

如何應對的建議：

1. 邀請父母檢視自己內在，當孩子哭鬧的時候，父母內在有沒有焦慮？有沒有浮躁？有沒有無奈？請父母覺察自己內在，並且回應、安頓自己內在。

2. 能接納孩子尿床嗎？

3. 能接納孩子哭鬧嗎？

4. 當孩子哭鬧時，身為一位媽媽，妳能接納自己嗎？

5. 孩子哭鬧的時候，允許他哭個十秒鐘，甚至更長一點兒，父母蹲在旁邊聽著，懷著愛陪伴，並整理自己內在。

6. 十秒鐘之後，呼喚孩子名字，並且有意識停頓，以停頓的節奏，觀察孩子的情緒，孩子情緒是否更高？或者平緩一點了。若是情緒更高了，那就停更久一點兒。

7. 再調整自己的語速與語態。

上述對話的語言與方向，下列提供參考：

「你在生自己的氣嗎？」孩子可能行為上會反應，更生氣的狀態，那是自然的現象，要以更長的停頓陪伴，讓孩子意識自己被接納。

若孩子哭泣更多，那也是自然的，那可能是意識被接納，或者對自己的沮喪，已經不用生氣保護了。

無論他有沒有回答，都可以跟他說：「你怎麼會生氣呢？你不是故意的。而且很多人都尿床到很大，比如阿建老師尿床到 9 歲，你知道阿建老師嗎？」

以類似的方式引導，讓孩子明白、被同理，引導孩子認識自己，理解自己尿床不是故意，那麼孩子也就容易接納自己。

找個安靜的地方，緩緩的深呼吸，安靜的對自己說：「我不會放棄的，有一天我會成功。」。——《心念》

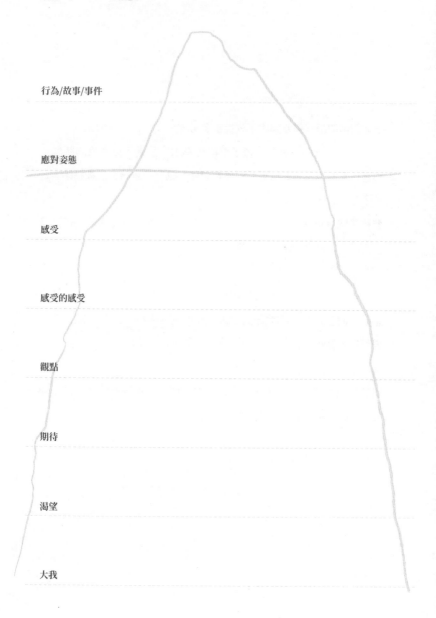

行為/故事/事件

應對姿態

感受

感受的感受

觀點

期待

渴望

大我

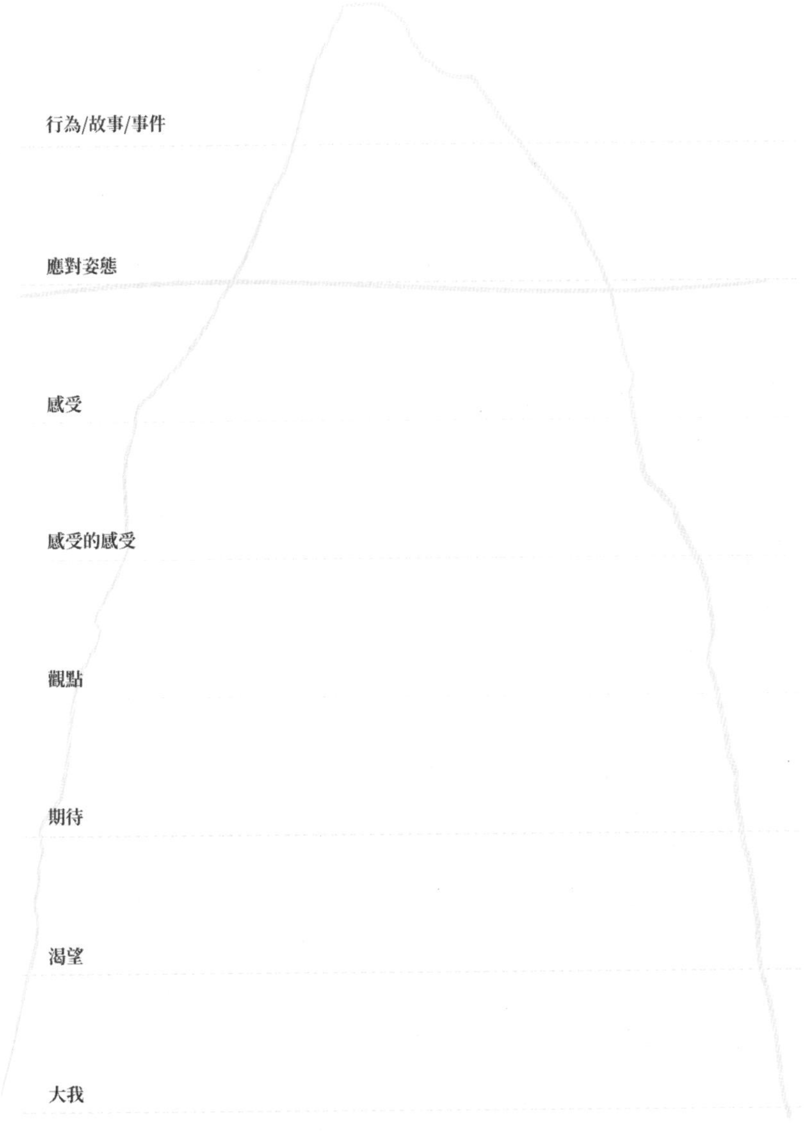

行為/故事/事件

應對姿態

感受

感受的感受

觀點

期待

渴望

大我

人生最珍貴的，是從「輪」裡學到的東西。——《心念》

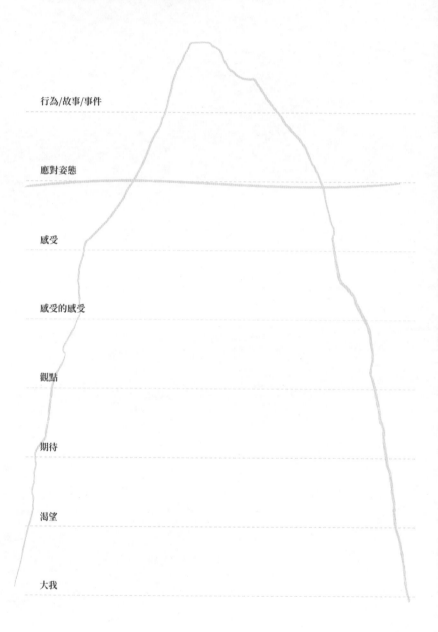

行為/故事/事件

應對姿態

感受

感受的感受

觀點

期待

渴望

大我

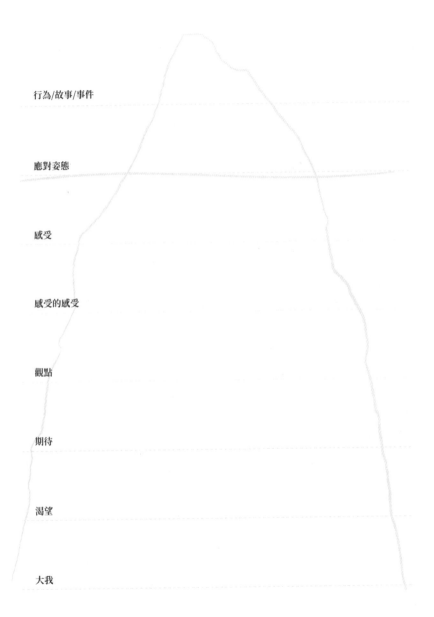

行為/故事/事件

應對姿態

感受

感受的感受

觀點

期待

渴望

大我

寬恕和原諒自己，放下過去受的傷，放下未滿足的期待，全心在當下感知。

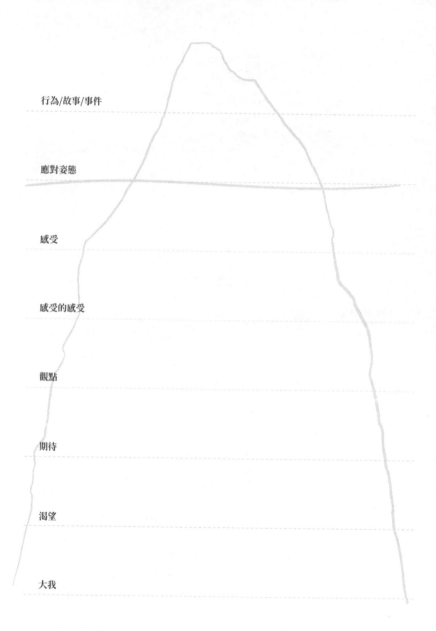

行為/故事/事件

應對姿態

感受

感受的感受

觀點

期待

渴望

大我

今天深呼吸了嗎？

時刻深呼吸一次，

成為一種習慣，

現在就深呼吸一次吧。

德國現代舞的大師 Pina Bausch 的名言：「形式不可能沒有感覺」、「我不在乎人們如何動作，而在乎什麼使他們動作。」——《移動的學校》

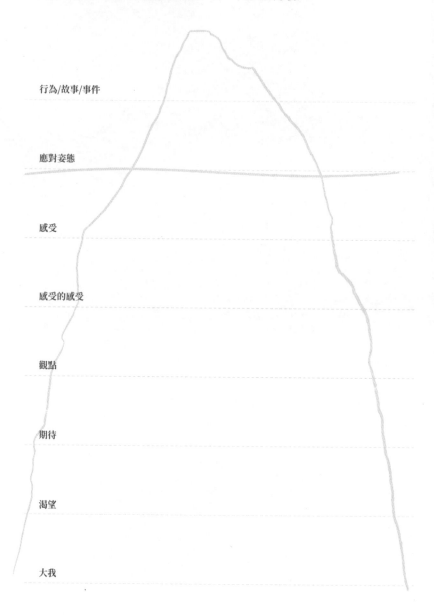

行為/故事/事件

應對姿態

感受

感受的感受

觀點

期待

渴望

大我

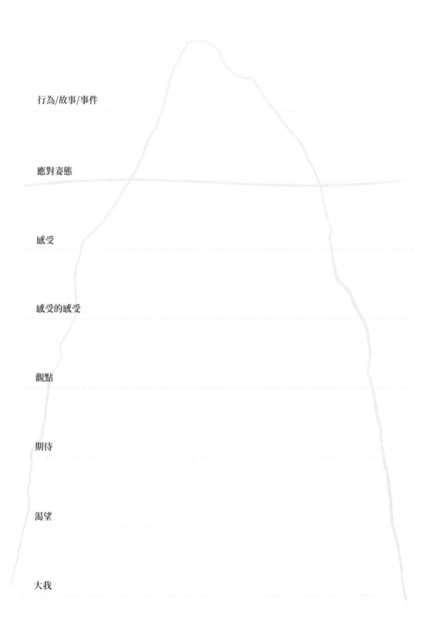

行為/故事/事件

應對姿態

感受

感受的感受

觀點

期待

渴望

大我

父母是否可以？深刻地看待孩子，而不是將孩子看成一個去追逐成就的人。

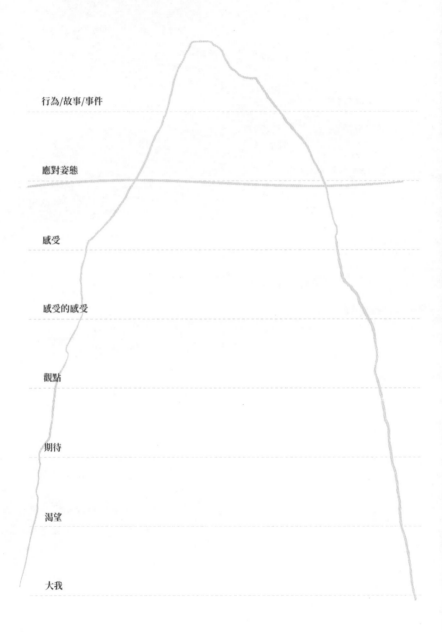

行為/故事/事件

應對姿態

感受

感受的感受

觀點

期待

渴望

大我

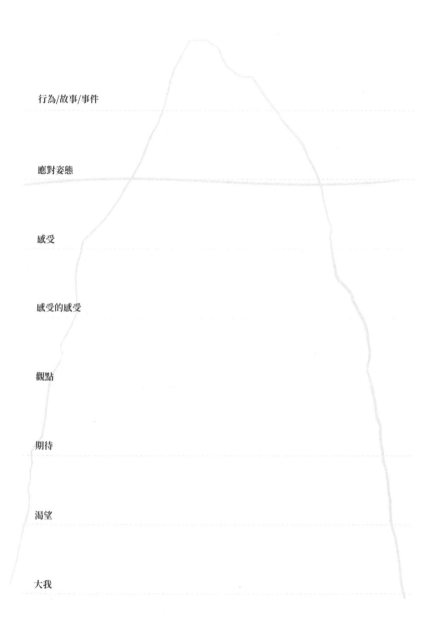

行為/故事/事件

應對姿態

感受

感受的感受

觀點

期待

渴望

大我

具體事件：

一般的說法：

小時候打破杯子，爸爸很兇的罵我。

具體體現細節的說法：

國小二三年級的時候，我想要泡一杯牛奶，我記得到廚房的櫃子上，拿一個透明的玻璃杯。外面正下著大雨，我記得剛好打雷了，也可能我為了踮起腳尖，重心一個不穩，玻璃杯沒拿穩，就掉在地上破了。爸爸到廚房裡看，很大聲很嚴厲的罵我，當時外面的雨很大……

邀請你簡述一個事件，最好對你印象深刻的事件，或者是曾影響你的事件，但不建議寫重大的創傷，比如目睹親人過世，或者性侵害的傷痛。

試著以十句話之內寫出來：

當你寫完剛剛的事件，邀請你深呼吸，也可以閉起眼睛，回想當時的場景，看看當事的人們，他們的表情，看看當時的場景，看看當時的自己。

現在，試著將這一段記憶，以具體描述細節的方式陳述：

具體事件：

爸爸突然回家了，我很久沒看到他，

他一回到家，就跟媽媽吵架。

爸爸說他沒有錢，要賣家裡的東西。

媽媽就跟爸爸吵架。因為家裡沒錢了，爸爸欠了一身的賭債。

他們吵架吵得很大聲。

具體細節的建議方向：

當事人的年紀。

當時的時間、場景。

當時有誰說的話。

當時主要人物的行動。

你在哪裡？

你做了什麼？

具體呈現細節：

我讀國小的時候，爸爸突然回家了，我很久沒看到他，我心裡很期待他回家。

我記得那天是晚上，街道都是安靜的，只有爸媽吵架的聲音。

爸爸伸手跟媽媽要錢，媽媽就說家裡沒錢買米了。爸爸大聲的說：如果沒有給我錢，我就賣掉家裡的東西。

媽媽生氣的將鍋鏟丟到地上，要爸爸不要再回家，家裡哪有東西賣了。爸爸大聲的說，哪裡沒東西賣？家裡的摩托車我就要賣掉。爸爸轉過頭去，指著電視機說要賣，還說要賣掉媽媽的縫紉機。

我當時站在他們旁邊，我心裡很害怕，我很久沒看見爸爸了。

我想起來了，爸爸還說要賣掉音響，對了，他說要賣掉音響。當時我聽爸爸這樣說，我頭腦空白一片，因為那台音響是我的生命，我孤單的時候，痛苦的時候，都是那台音響陪我，爸爸說要將音響賣掉，當時我只有十歲，我只有十歲而已，我好久沒看見爸爸，他說要賣掉我的音響……

關於具體事件說明：

一般人在描述事件，只是個模糊的畫面。將事件更具體的表達，重現當時的場景，彷彿安裝攝影機，跨越時空到過去。描述場景的細節，攝影機特寫鏡頭靠近，畫面變得深刻，探索當時內在的變化，冰山各層次衝擊，無論是運用在對話，或者冰山書寫都適合。

前篇案主的陳述，一開始陳述時，表示自己找不到感覺，當案主第一次陳述時，表情沉穩，彷彿事件與自己無關，彷彿站在遙遠的地方，報導當年發生的事件。

案主被要求第二次陳述，加入當時的細節，諸如場景、時間、語言、案主位置，案主突然記得更多細節，比如爸爸賣音響那一段，他在第二次陳述時，突然說自己想起來了，他內在的衝擊加大，整個人哀傷的站不住，哭泣說自己只有十歲，冰山的內在浮現出來 ……

請試著寫出前一篇案主的冰山。

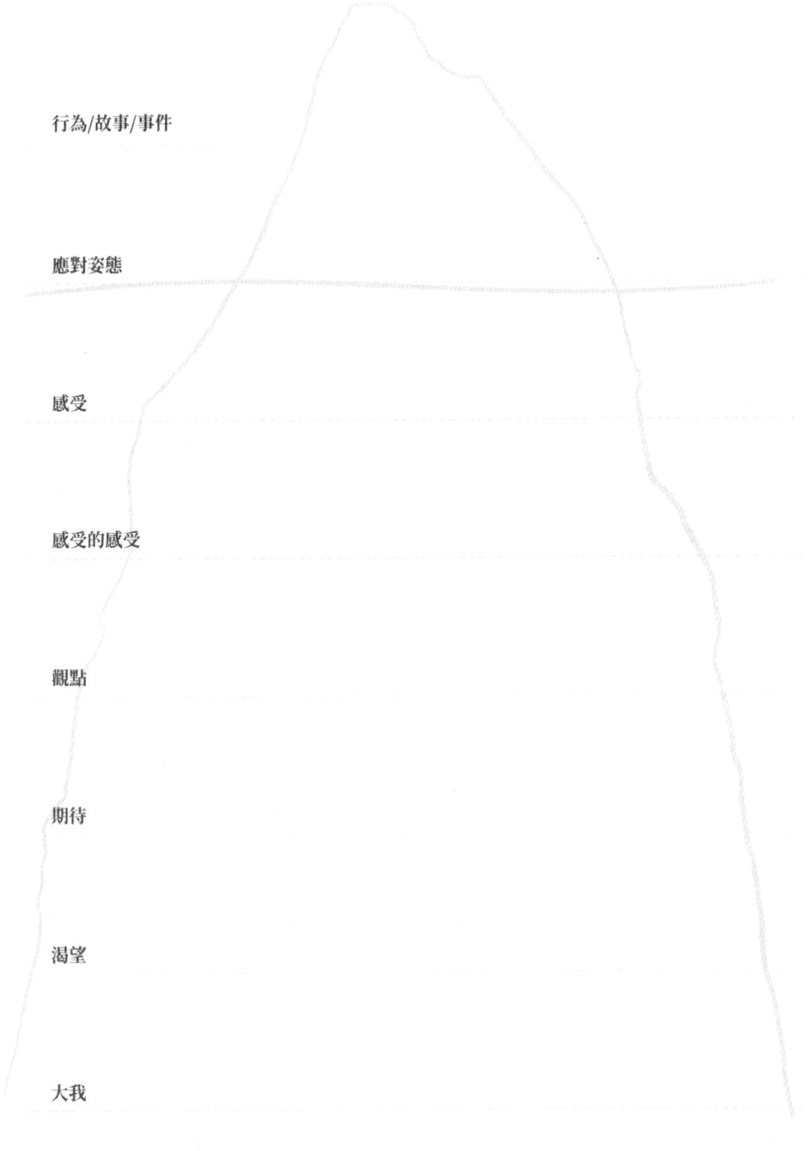

行為/故事/事件

應對姿態

感受

感受的感受

觀點

期待

渴望

大我

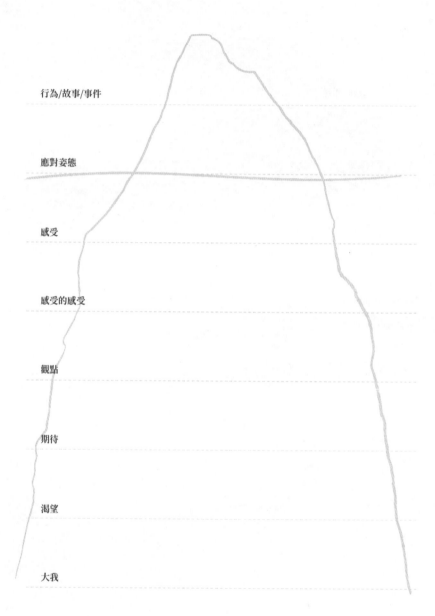

行為/故事/事件

應對姿態

感受

感受的感受

觀點

期待

渴望

大我

當人們只關注行為的成就，比如關注孩子第一名，通常自尊比較低，常會感覺自己總是一個失敗者。

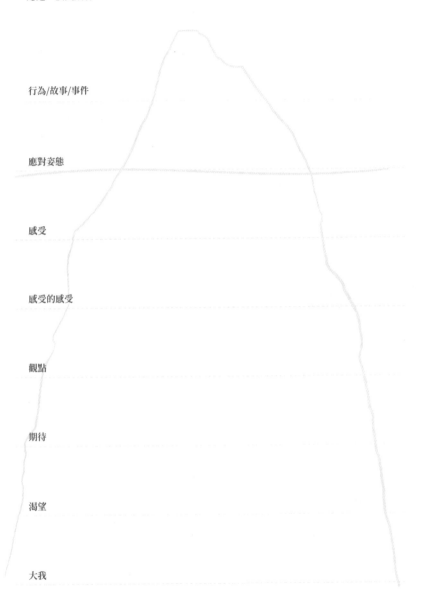

行為/故事/事件

應對姿態

感受

感受的感受

觀點

期待

渴望

大我

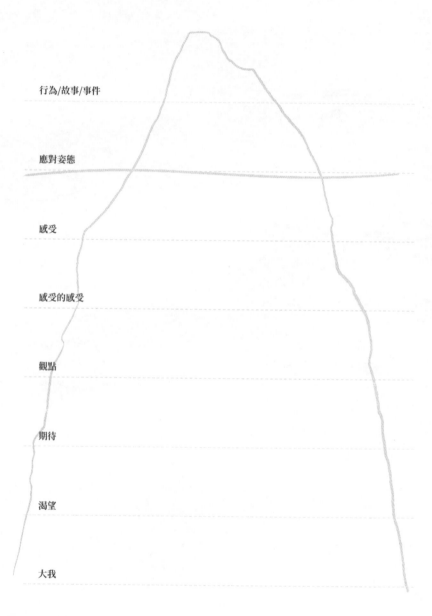

行為/故事/事件

應對姿態

感受

感受的感受

觀點

期待

渴望

大我

當輸的時候，專注地深呼吸，靜靜地對自己說：我知道自己輸了，感覺自己很難過。
那就讓自己難過吧！我還在學習如何輸，我要成為一個豐富的人。——《心念》

行為/故事/事件

應對姿態

感受

感受的感受

觀點

期待

渴望

大我

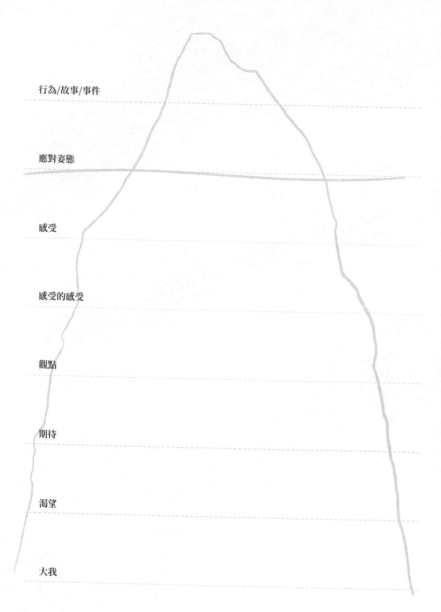

行為/故事/事件

應對姿態

感受

感受的感受

觀點

期待

渴望

大我

教育不是只有一條路，但是教育常常使人走上同一條路。——《沒有圍牆的學校》

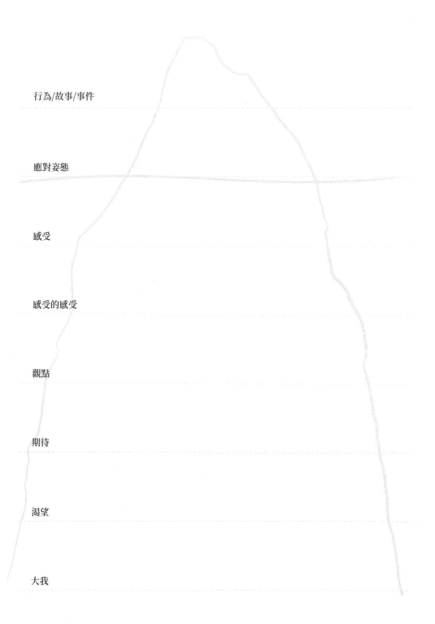

行為/故事/事件

應對姿態

感受

感受的感受

觀點

期待

渴望

大我

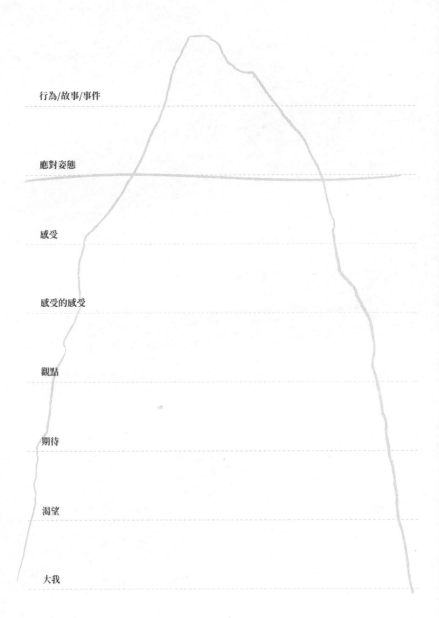

行為/故事/事件

應對姿態

感受

感受的感受

觀點

期待

渴望

大我

覺察一下，今天的溝通，

有哪部分專注而美？

哪部分的溝通姿態是指責、

超理智？

不要對自己說我真糟糕，而是對自己說：「我正在努力。」

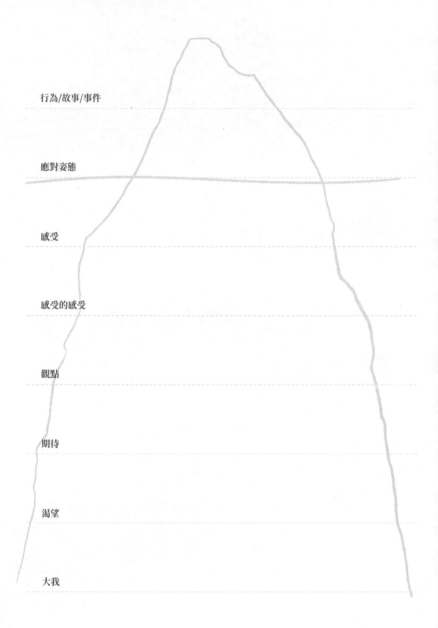

行為/故事/事件

應對姿態

感受

感受的感受

觀點

期待

渴望

大我

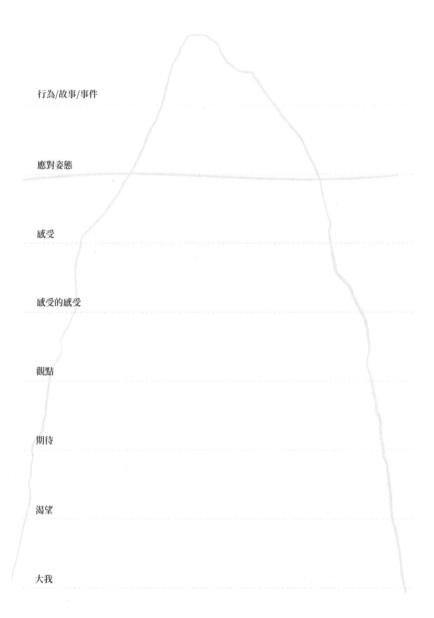

行為/故事/事件

應對姿態

感受

感受的感受

觀點

期待

渴望

大我

疏導孩子情緒的方式，首先是梳理自己的情緒，以平穩寧靜的語態面對孩子，其次便是同理孩子的情緒。——《心教》

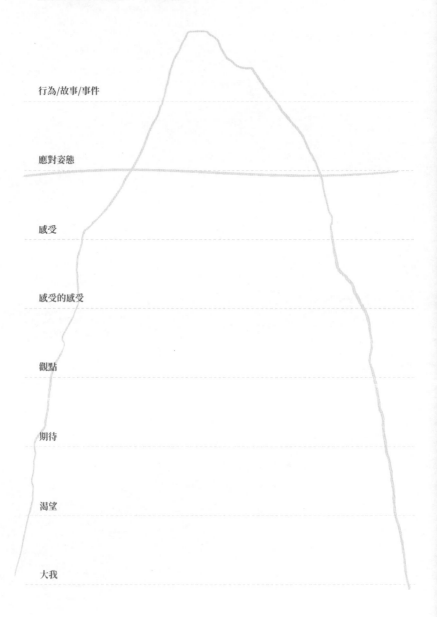

行為/故事/事件

應對姿態

感受

感受的感受

觀點

期待

渴望

大我

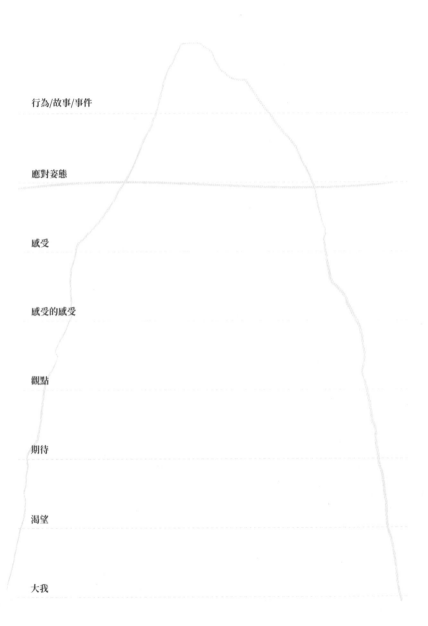

行為/故事/事件

應對姿態

感受

感受的感受

觀點

期待

渴望

大我

面對問題時，學習不以解決問題為目標，而是透過好奇的對話，關心與了解孩子的內在。 ——《薩提爾的對話練習》

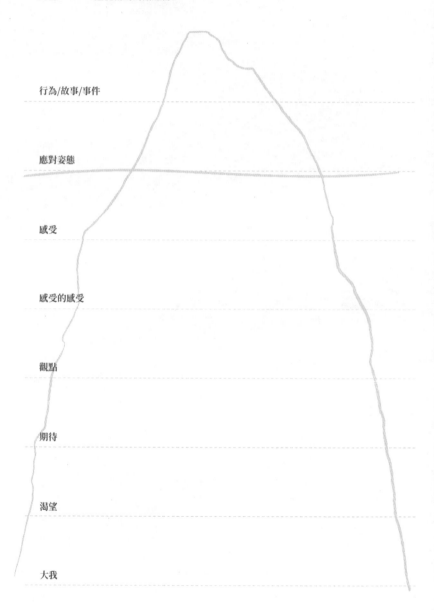

行為/故事/事件

應對姿態

感受

感受的感受

觀點

期待

渴望

大我

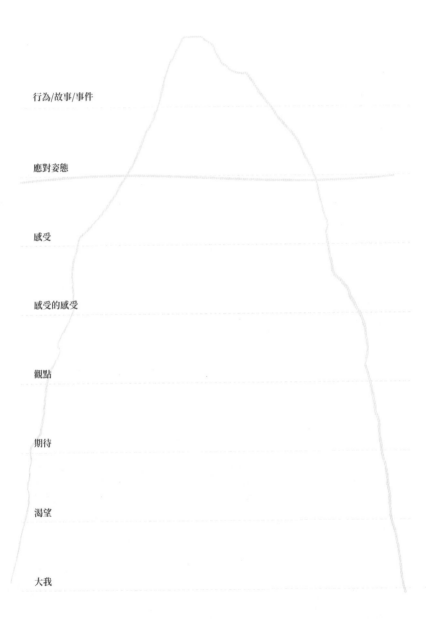

行為/故事/事件

應對姿態

感受

感受的感受

觀點

期待

渴望

大我

帶著尊重的心靈，接納彼此的差異，並且將時間留給彼此。

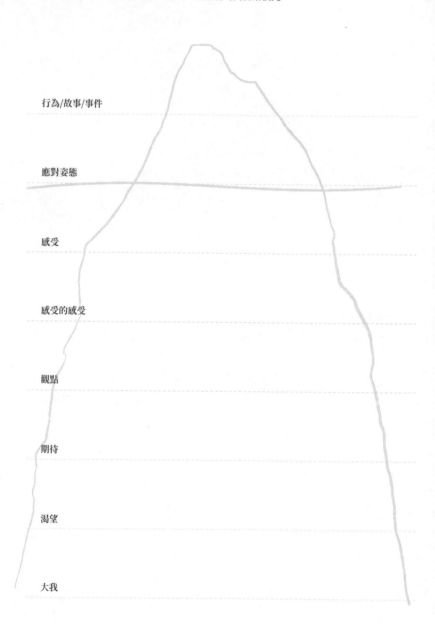

行為/故事/事件

應對姿態

感受

感受的感受

觀點

期待

渴望

大我

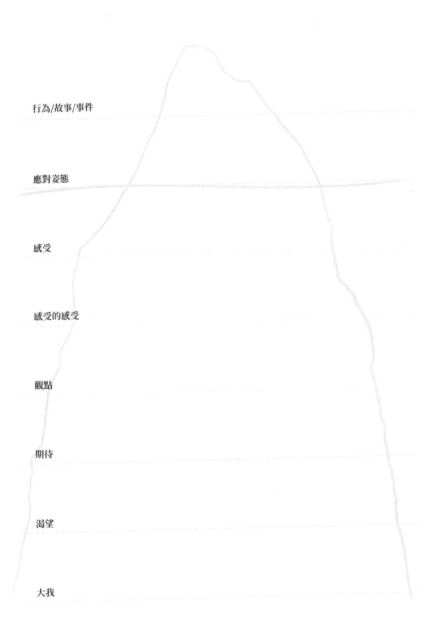

行為/故事/事件

應對姿態

感受

感受的感受

觀點

期待

渴望

大我

在對話中真心探索，理解對方，就是充滿覺知與愛的過程。——《麥田裡的老師》

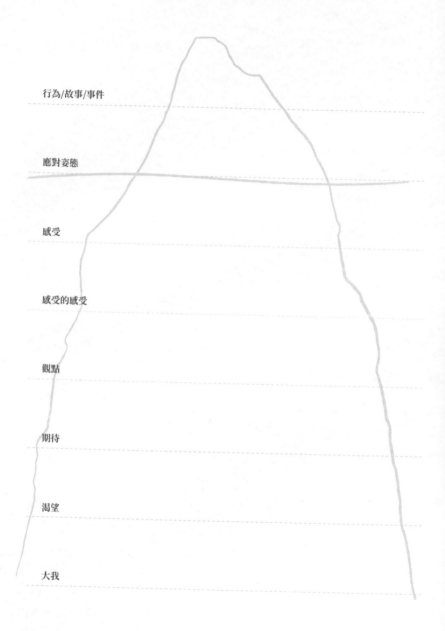

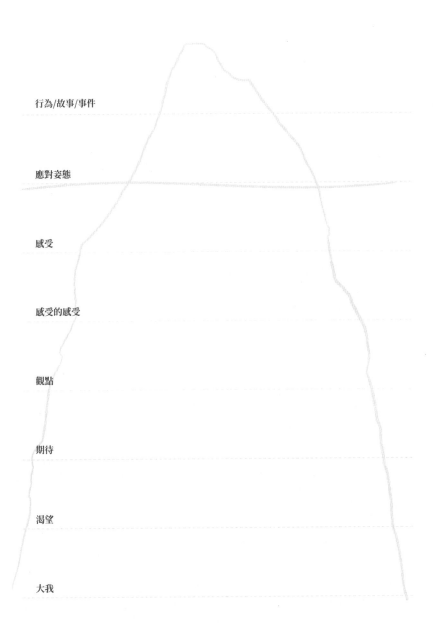

行為/故事/事件

應對姿態

感受

感受的感受

觀點

期待

渴望

大我

將你最近的溝通狀況，重新檢視一下，不是檢討對方，而是下一次我可以如何溝通？

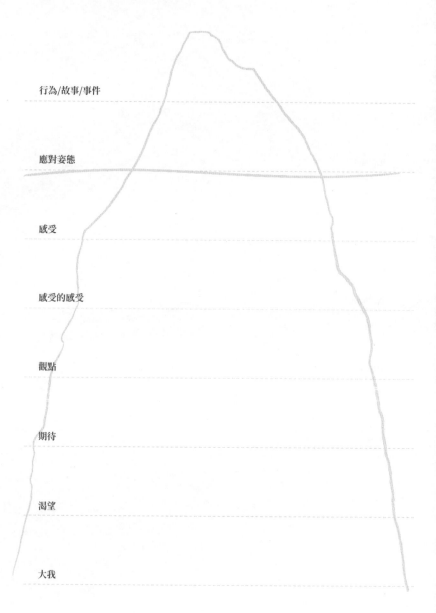

行為/故事/事件

應對姿態

感受

感受的感受

觀點

期待

渴望

大我

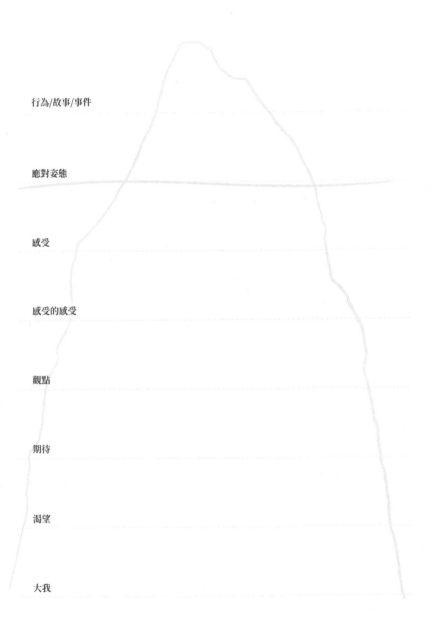

行為/故事/事件

應對姿態

感受

感受的感受

觀點

期待

渴望

大我

1907 年佛洛伊德提出：敘述帶來療癒。

一個悲傷的人、受傷的人、憤怒的人，若也能完整敘述，內心就能
舒坦許多。不斷抱怨的人，為何沒有停止抱怨？也沒有被療癒呢？
因為未被人真正傾聽。敘述的人，需要一個傾聽者。

傾聽是一個素養，一般人不容易傾聽，因為傾聽的人，內在也會有
波動，會想要安慰、說理、建議、反駁……

當人敘述的時候，
其實，
只要傾聽就行了……

專注的傾聽，對一般人而言，並不容易。

專注的傾聽，就是一種接納。

傾聽時不要一直以某種音調的「嗯嗯～」回應，傾聽者自己也可以
覺察，自己聽見了什麼？

自己的內在發生了什麼？

專注的傾聽，已經是美好的回應。

傾聽者需要注意自己的姿態。

若需要回應，可以重複對方語言。

重複語言是門技術，哪一句語言重複，會帶來不一樣的結果。

敘述者的語句，被重述確認，敘述者重新聽見，重新回應自己。

重複語言有助於對方覺察。

重複語言也是核對。

在一堆語言陳述中，挑中關鍵字重複，是高級的重述。

專注傾聽之後，才會有好奇。

好奇的語言要減少「為什麼？」、「你覺得呢？」

可以多用：「我很好奇」、「怎麼了？」、「還好嗎？」、「怎麼辦？」

好奇是了解他人，知道他人真正的問題。

好奇能讓對方覺知。

好奇能讓對方敘述，對方就有了療癒。

好奇能讓對方擴張思維。

好奇能讓人有同理心。

郭進成老師提供一則對話

未經好奇的對話：夫妻的對話日常。

先生對太太說，今天我的心臟有時會不太規律的跳動。

妻子立刻回先生說，要不要去做檢查？

太太立刻給了建議，或者給了答案。

先生欲言又止，結束對話。

郭進成老師提供好奇對話

先生對太太說：「今天我的心臟有時會不太規律的跳動。」

妻子詢問：「你會擔心嗎？」

先生回答：「嗯，好像有一點。」

妻子的好奇，展現了關心：「今天才發生的？還是之前也有過呢？」

先生回答：「其實今天早上，我做了一個很奇妙的夢，讓我想起童年的一些事。」

妻子說：「喔，怎麼說？你想多說一點嗎？」

先生開啟了和妻子的深刻對話。

專注傾聽與好奇，是讓對方敘述的關鍵。

當有人願意傾聽了，就有人願意說了。
當有人理解如何好奇，溫暖與覺知就進來了。
對他人傾聽與好奇，對自己也需要傾聽與好奇。

對自己的傾聽，可以透過自由書寫、心靈書寫與冰山書寫呈現。
傾聽自己，就是不要對自己批判、說教、逃避，也不要可憐自己。

若你是敘說者，也儘量不要抱怨，試著單純陳述一件事的歷程。

對他人好奇，對自己好奇，可以時間線（TIMELINE）為橫軸，因此就有了回溯。

可以冰山（ICEBERG）為縱軸，在每個時間點上（TIMELINE），都有一座冰山（ICEBERG）好奇的問句，在時間軸提問，也在冰山各層次提問。

完整的敘述一件事，能讓能量流動。

敘述過去的事件，事情對今天有影響嗎？
那影響是好的嗎？若不是好的，自己想改變嗎？
自己是否有內疚？是否會自責？

今天的自己，會怎麼看當年的你呢？
當年的你，有何未滿足的期待嗎？
當年未滿足的期待，對自己有衝擊嗎？
當年的自己，值得被愛嗎？是有價值的嗎？

敘述一個具體事件。以上一頁的提問，在陳述完後問自己。

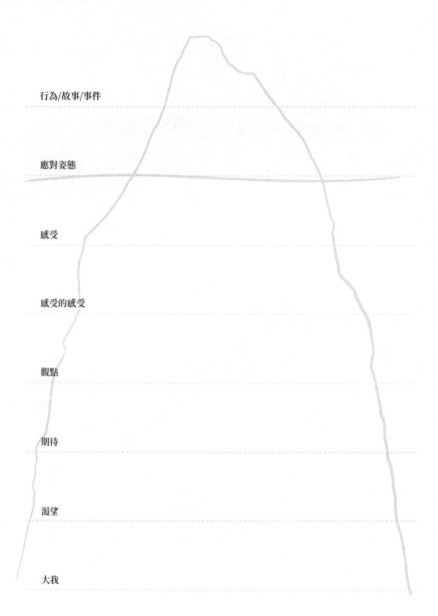

行為/故事/事件

應對姿態

感受

感受的感受

觀點

期待

渴望

大我

我很重要，你很重要，發生於你我之間的，也很重要。——薩提爾

行為/故事/事件

應對姿態

感受

感受的感受

觀點

期待

渴望

大我

你發現你的生命可以重新展現新方向，這一切都是為了你自己。——薩提爾

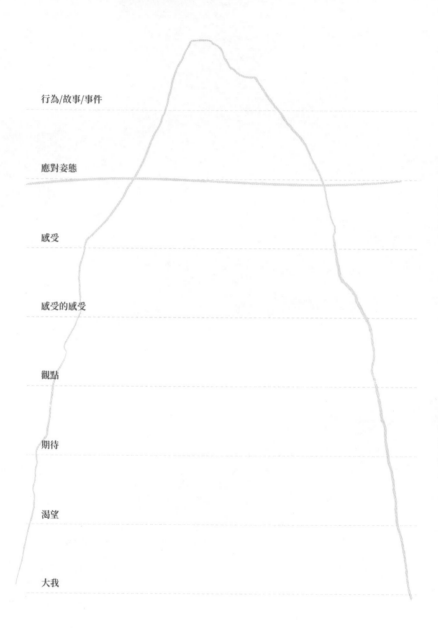

行為/故事/事件

應對姿態

感受

感受的感受

觀點

期待

渴望

大我

當溝通出問題的時候，

你擁有覺察了嗎？

雙方都在強辯，

孩子正有了情緒，

那就停下來，

運用十句「好奇」問話吧！

看看一則好奇對話，作者是福智賴冠穎。

我不喜歡樹葡萄，入口是酸澀，果肉只有一點，果皮很厚。

昨天去宿舍看孩子，孩子打開衣櫃，拿出一個透明塑膠袋，裡面有一堆樹葡萄。我的理智腦首先衝出，想要講道理：「孩子啊……這這這，怎麼放衣櫃呢？又不是冰箱……」但是我沒說出來，我深呼吸，決定先好奇……

媽媽：「宗廷啊……這是什麼啊？」（呼喚名字，停頓，好奇。）
宗廷：「樹葡萄。在高中宿舍前面摘的，我都洗過了，媽媽妳吃。」

媽媽拿了二顆出來吃。
宗廷：「好吃嗎？」
媽媽自覺有點兒敷衍地說：「嗯……」但仍然好奇的問：「什麼時候摘的？農耕的時候嗎？」
宗廷：「農耕回來以後才摘的，我們下樓就會看到那棵樹。」

媽媽：「你怎麼會有這個袋子呢？」
宗廷：「我去回收站找的，我洗過了。」

媽媽：「嗯⋯⋯（深呼吸、深呼吸、實在很想講這樣不太衛生耶，但是他都強調說他洗過了。）回收站找到的啊～（重複語言）」

媽媽：「怎麼會想摘樹葡萄？」
宗廷：「一開始是同學發現的，說有樹葡萄耶！我們就去摘了。」

媽媽：「你一開始就想要留給爸媽吃嗎？」
宗廷：「一開始想要摘給同學，後來想到你們，我把褲子口袋裝滿，裝不下了，就去回收站找袋子，先找到一個小的，洗一洗，後來裝不下了，再去找一個中的，洗一洗，後來又裝不下了，再去找到這個最大的，洗一洗袋子，再把樹葡萄都洗一洗⋯⋯」

我邊聽邊想像著，孩子小小的身影，像隻忙碌的小蜜蜂，飛啊飛啊～進進出出宿舍，找啊找啊～洗啊洗啊，滿懷喜悅的、專注的、想讓爸媽吃乾淨的樹葡萄。

宗廷：「媽媽，我摘樹葡萄給妳，妳有高興嗎？」
媽媽：「我很高興，這是世界上最好吃的水果。」
我這次不是敷衍的了，是真誠的讚嘆！

我品嘗到的幸福是他的心意，如果剛剛的慣性應對，又跑出來指責，或者是急著講道理，是得不到最後的真相，也聽不到那份心意，如果沒有好奇的話。

真如老師曾讓我們去體驗，臭豆腐的香跟臭，到底是如何安立的，透過這次跟宗廷的對話，我的體會是自心安立的，只要張開發現美的眼睛，萬事萬物可以是美好的。謝謝宗廷的心意，謝謝真如老師臭豆腐的比喻，謝謝阿建老師教我如何好奇。

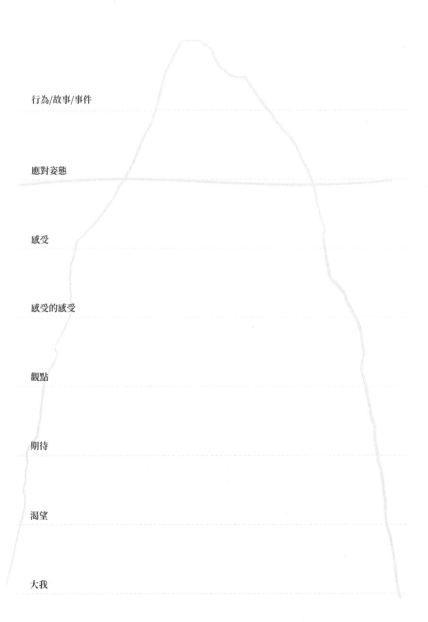

行為/故事/事件

應對姿態

感受

感受的感受

觀點

期待

渴望

大我

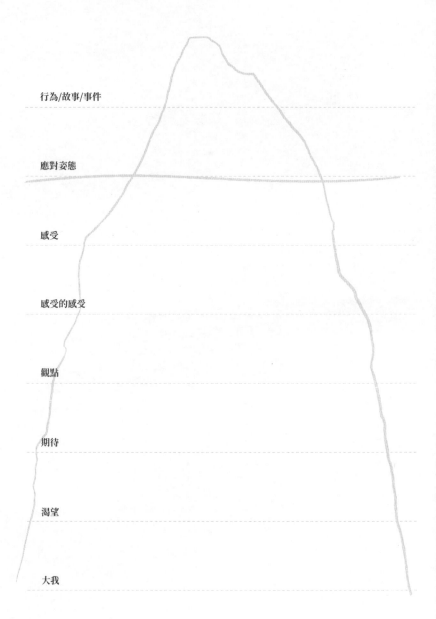

行為/故事/事件

應對姿態

感受

感受的感受

觀點

期待

渴望

大我

我和她話家常，帶著極大的參與感，與她共同分享，而不是虛應故事。──《麥田裡的老師》

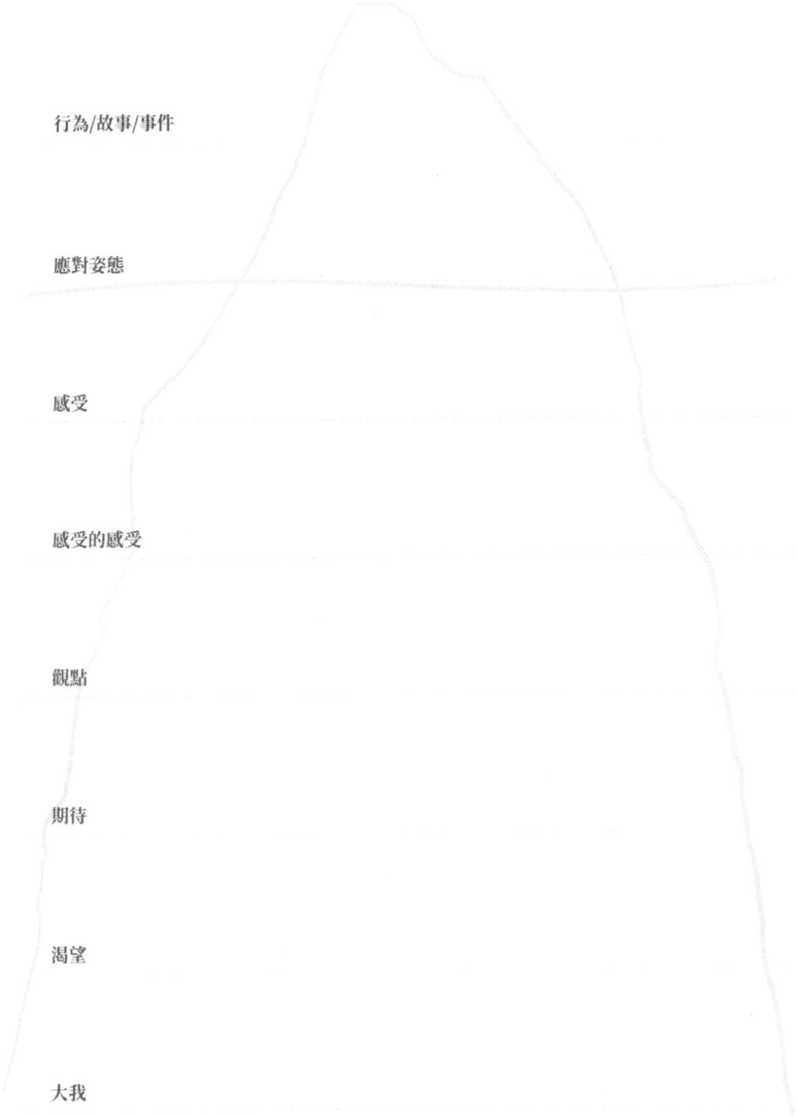

行為/故事/事件

應對姿態

感受

感受的感受

觀點

期待

渴望

大我

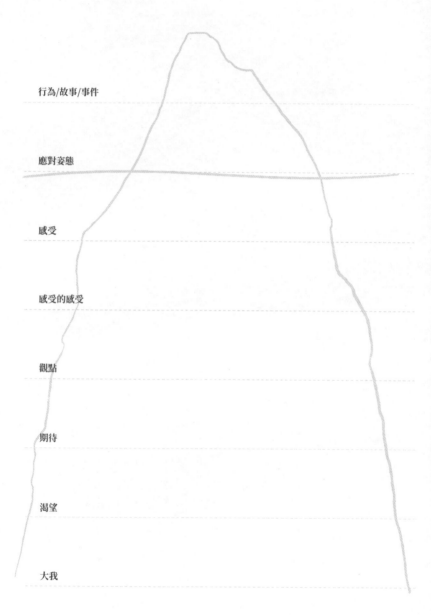

行為/故事/事件

應對姿態

感受

感受的感受

觀點

期待

渴望

大我

有一些人某些部分像我，但沒有一個人，完全和我一模一樣。——薩提爾

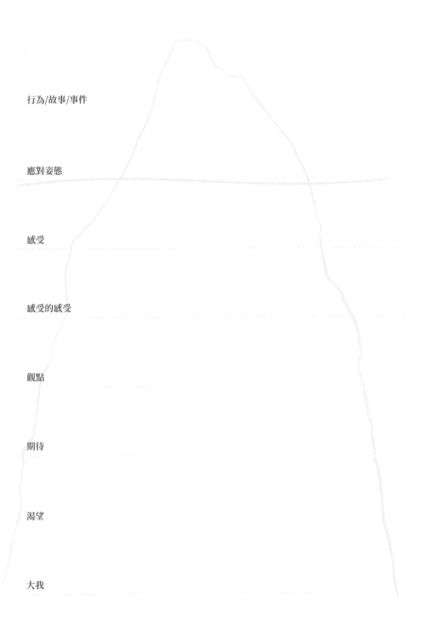

行為/故事/事件

應對姿態

感受

感受的感受

觀點

期待

渴望

大我

什麼是述情？

情緒是與生俱來，每個人都應能覺察情緒，並且表達自己的情緒。若是不能表達自己，被稱為述情障礙，又被稱為：「情感表達不能」或「情感難言症」。

早期的心理學家、神經學家 Kurt Goldstein 曾說：「人具有表達和成為自身全部潛能的天性。」所謂的「活出自我」，某部分的意義，就是表達更多潛在的自己。

人若無法表達自己的情緒，便與自身失去聯繫，會產生出身心的症狀。述情障礙的程度越嚴重，人便越失去平衡，容易在受壓力時感到抑鬱，或感到不斷的焦慮。

將冰山視為一個人的隱喻,事件是冰山的最上層,陳述事件也是述情一部分。

感受是冰山水平線下第一層,述情的基礎除了事件,能覺察事件帶來的情緒、承認自己的情緒、接納自己的情緒,則是表達自我的深刻意涵,因此在情緒處停頓,與情緒深度連結,將阻斷原有的慣性思路,帶出不同的生命風景。

敘述事件也是述情，以前述的童年事件為例：

國小二三年級的時候，我想要泡一杯牛奶，我記得到廚房的櫃子上，拿一個透明的玻璃杯。外面正下的大雨，我記得剛好打雷了，也可能我為了踮起腳尖，重心一個不穩，玻璃杯沒拿穩，就掉在地上破了。

爸爸到廚房裡看，很大聲很嚴屬的罵我，當時外面的雨很大……

積極述情的說法：

國小二三年級的時候，我想要泡一杯牛奶，我記得到廚房的櫃子上，拿一個透明的玻璃杯。外面正下著大雨，我記得剛好打雷了，當時我有一點兒害怕……。

說到情緒詞彙「害怕」，請停下來，閉上眼睛，經驗這個害怕，可以經驗三秒，或者更久一點兒，再寫出、說出：我害怕的是……。

陳述情緒的詞彙，以及情緒的原因，再接著敘事，可能與原本未在情緒停留的敘事，有不同的發生，不同的畫面，不同的陳述內容。

當時我重心一個不穩，玻璃杯沒拿穩，就掉在地上破了。爸爸到廚房裡看，很大聲很嚴厲的罵我，當時外面的雨很大，我感到非常害怕。

請在害怕處停下來，閉上眼睛，經驗這個害怕，可以經驗三秒，或者更久一點兒，再寫出：我害怕的是⋯⋯。

爸爸罵我的時候，我感到很難過。

請在難過處停下來，閉上眼睛，經驗這個害怕，可以經驗三秒，或者更久一點兒，再寫出：我難過的是⋯⋯。

請描述一個過去的事件，先以文字記錄下來：

請填入冰山的各層次。

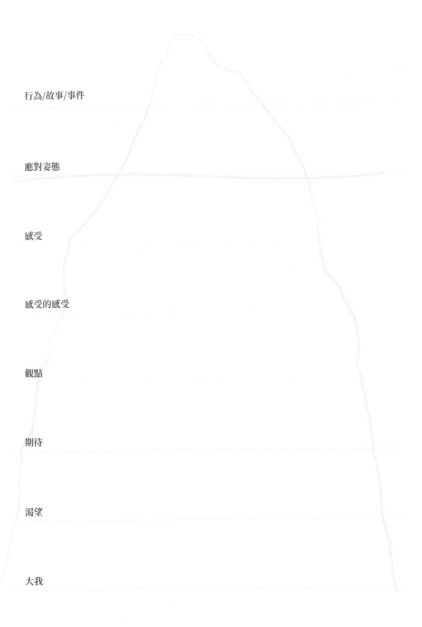

行為/故事/事件

應對姿態

感受

感受的感受

觀點

期待

渴望

大我

請以積極述情的方式，再次陳述一次。

請再次填入冰山的各層次，看看有何不同？

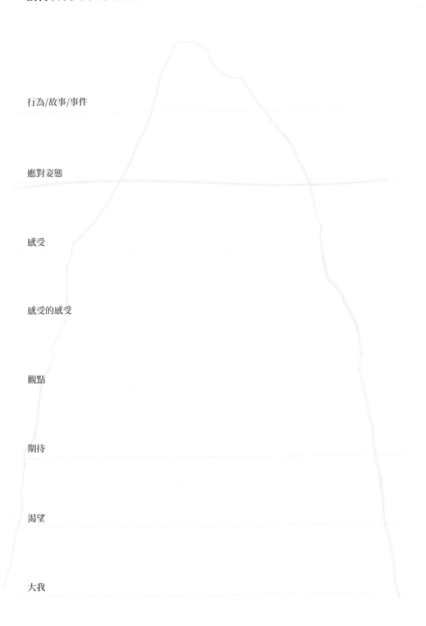

行為/故事/事件

應對姿態

感受

感受的感受

觀點

期待

渴望

大我

以上述打破玻璃杯為例，可以進一步提問：

這個害怕現在還出現嗎？

這個害怕常在什麼時候影響我？

這個害怕出現時，我怎麼看自己？

我允許這個「害怕」嗎？

我現在可以再次接觸這個「害怕」嗎？

當我再次接觸害怕，我有什麼感覺？

當我再次接觸害怕，我有什麼新的畫面、看法？

請延續剛剛的述情，以上一頁的提示，再次提問自己。

當你再次提問自己,請再一次填入冰山各層次,有沒有新的變化?

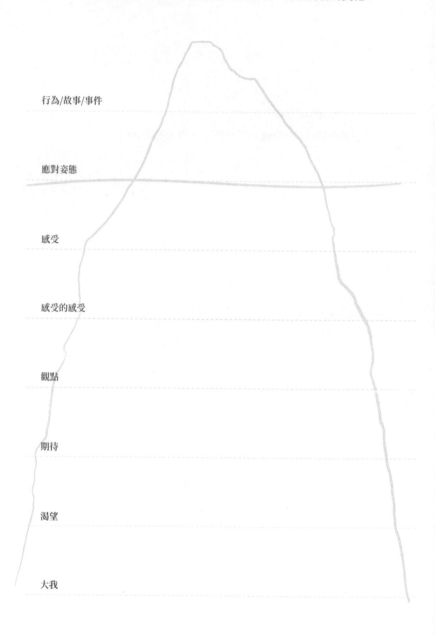

行為/故事/事件

應對姿態

感受

感受的感受

觀點

期待

渴望

大我

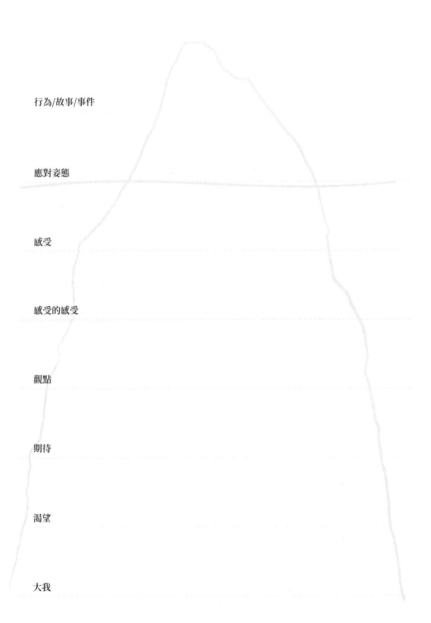

行為/故事/事件

應對姿態

感受

感受的感受

觀點

期待

渴望

大我

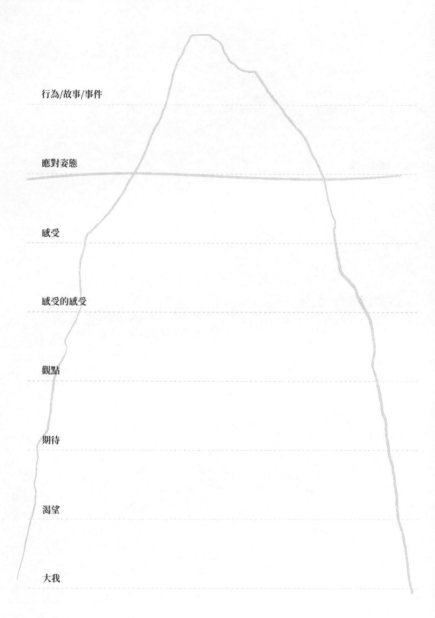

行為/故事/事件

應對姿態

感受

感受的感受

觀點

期待

渴望

大我

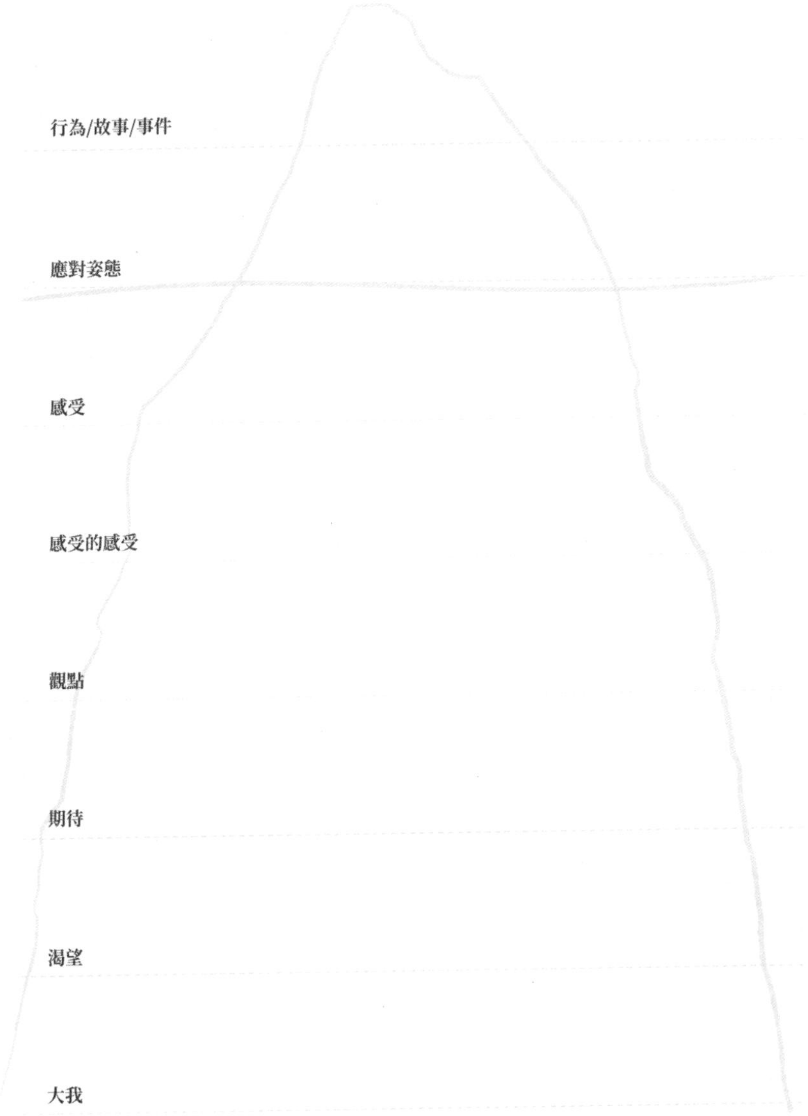

行為/故事/事件

應對姿態

感受

感受的感受

觀點

期待

渴望

大我

無論我做了什麼？我永遠值得被愛。

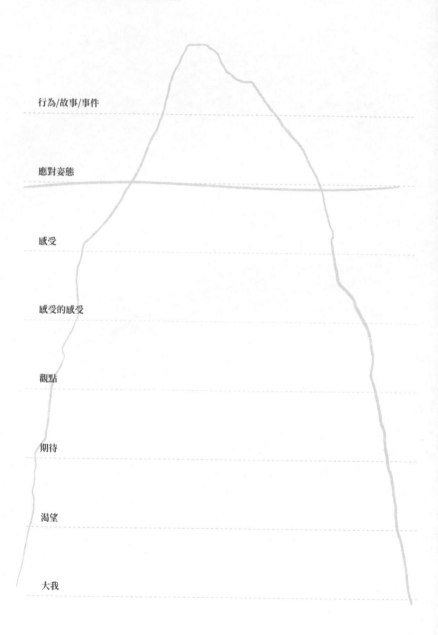

行為/故事/事件

應對姿態

感受

感受的感受

觀點

期待

渴望

大我

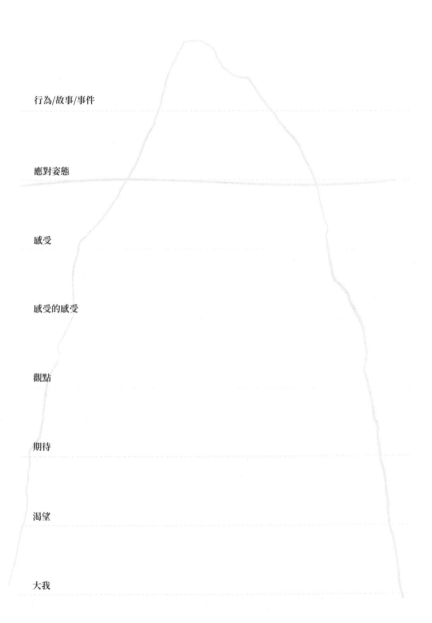

行為/故事/事件

應對姿態

感受

感受的感受

觀點

期待

渴望

大我

給你的身體，一個充滿欣賞與善意的訊息，現在就開始。

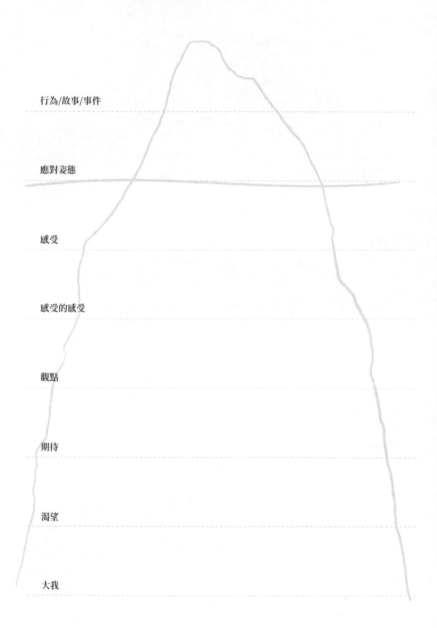

行為/故事/事件

應對姿態

感受

感受的感受

觀點

期待

渴望

大我

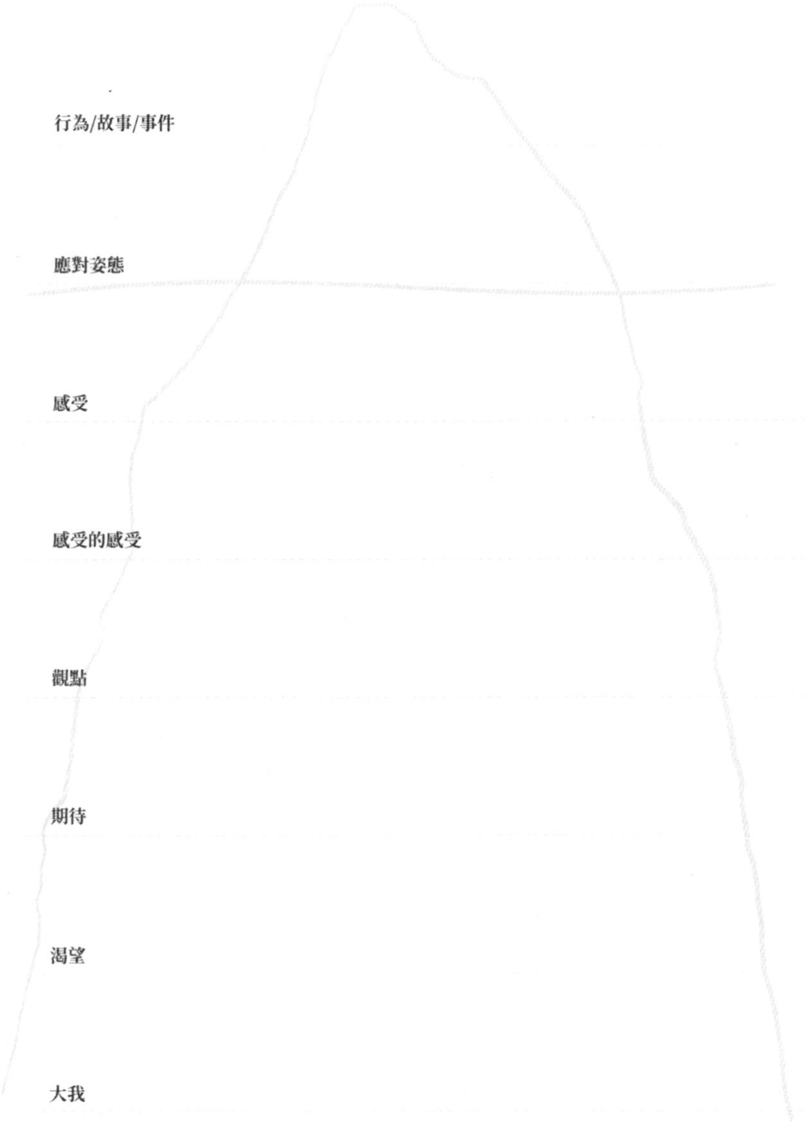

行為/故事/事件

應對姿態

感受

感受的感受

觀點

期待

渴望

大我

要負責不要自責，負責即是站起來面對，做錯了改變就行了，自責猶如拿刀傷害自己，削弱自己的力量。

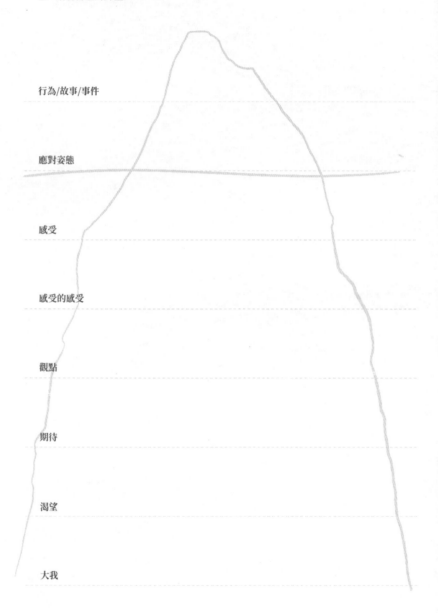

行為/故事/事件

應對姿態

感受

感受的感受

觀點

期待

渴望

大我

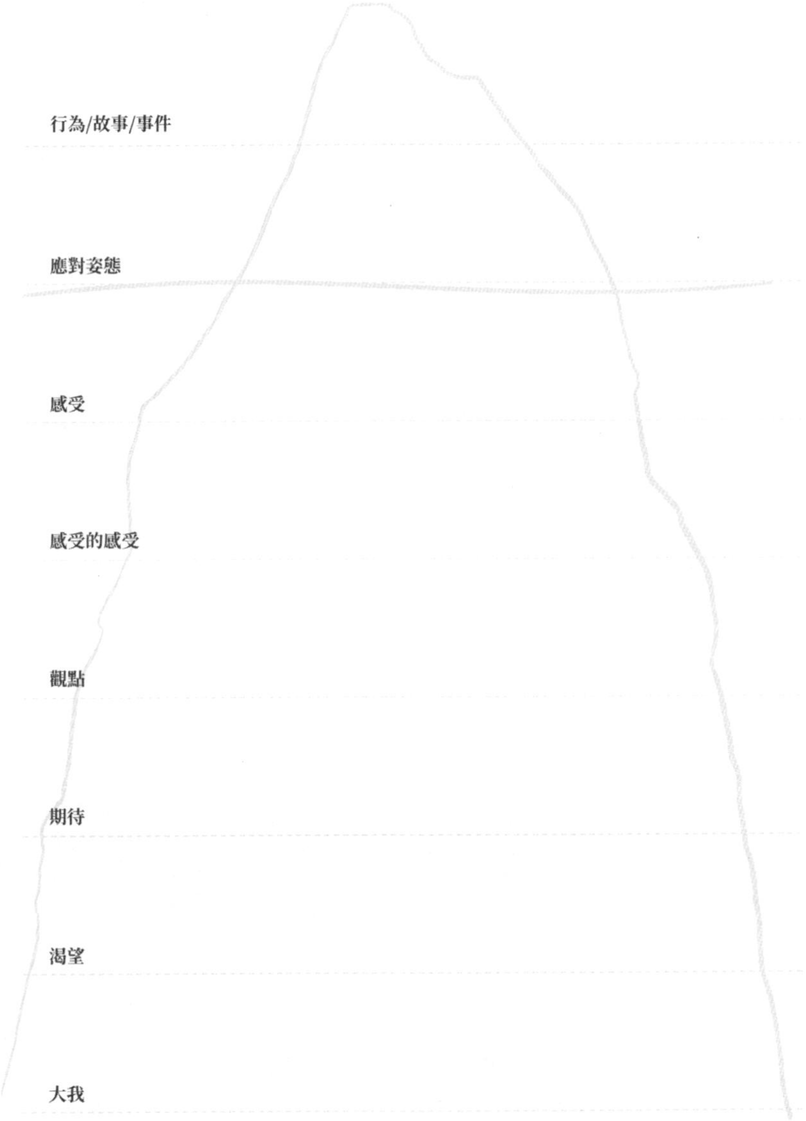

行為/故事/事件

應對姿態

感受

感受的感受

觀點

期待

渴望

大我

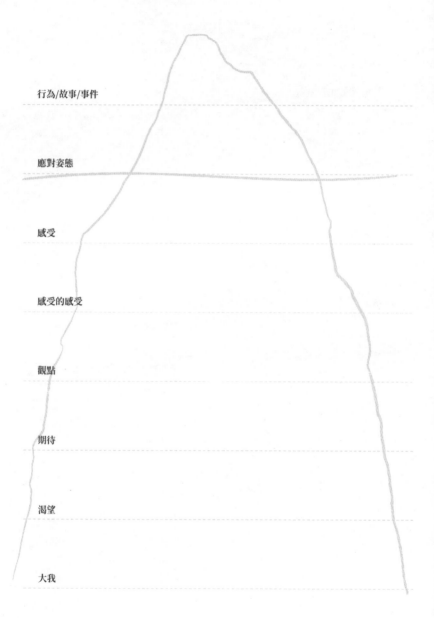

行為/故事/事件

應對姿態

感受

感受的感受

觀點

期待

渴望

大我

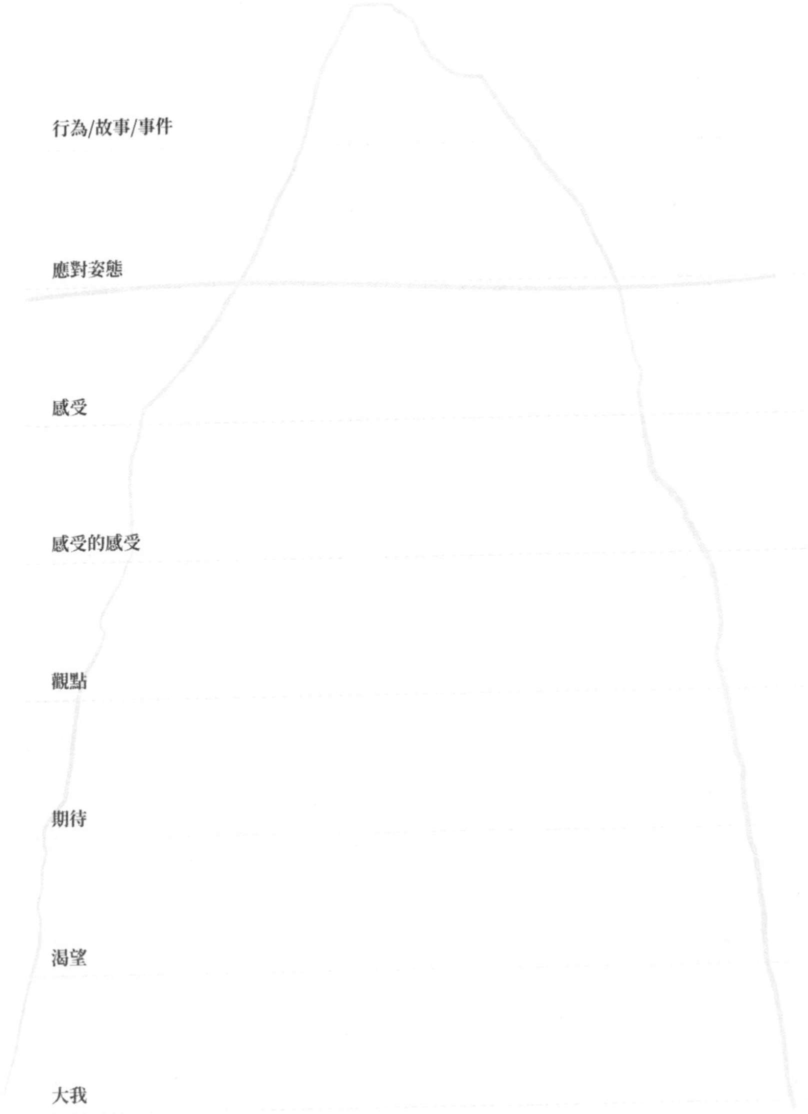

行為/故事/事件

應對姿態

感受

感受的感受

觀點

期待

渴望

大我

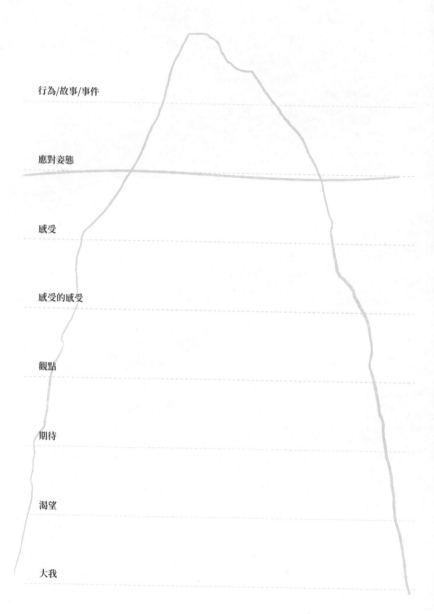

行為/故事/事件

應對姿態

感受

感受的感受

觀點

期待

渴望

大我

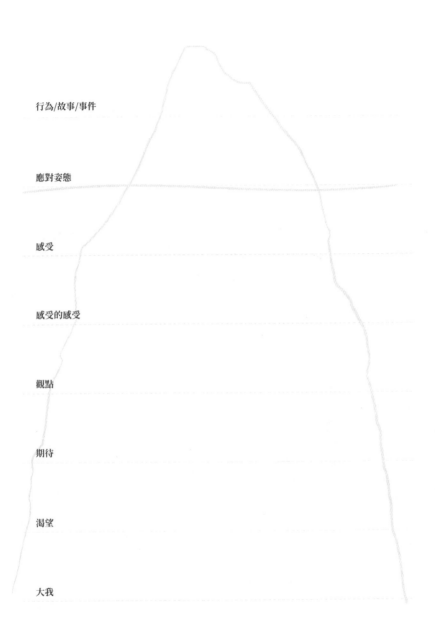

行為/故事/事件

應對姿態

感受

感受的感受

觀點

期待

渴望

大我

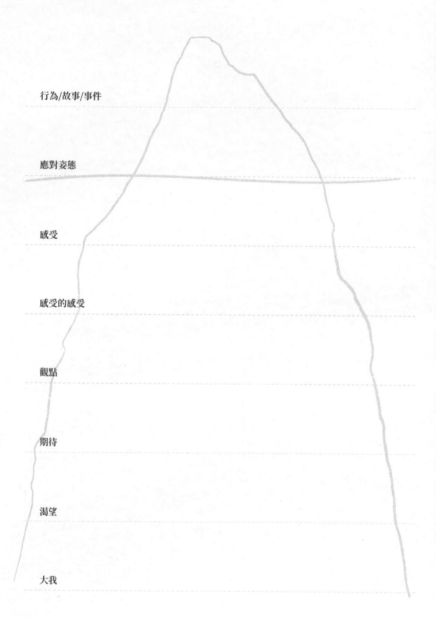

行為/故事/事件

應對姿態

感受

感受的感受

觀點

期待

渴望

大我

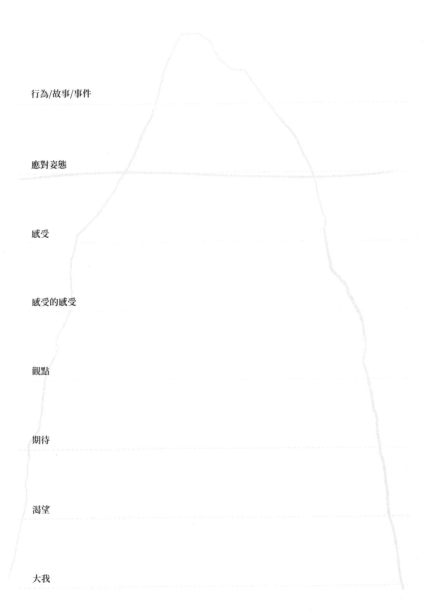

行為/故事/事件

應對姿態

感受

感受的感受

觀點

期待

渴望

大我

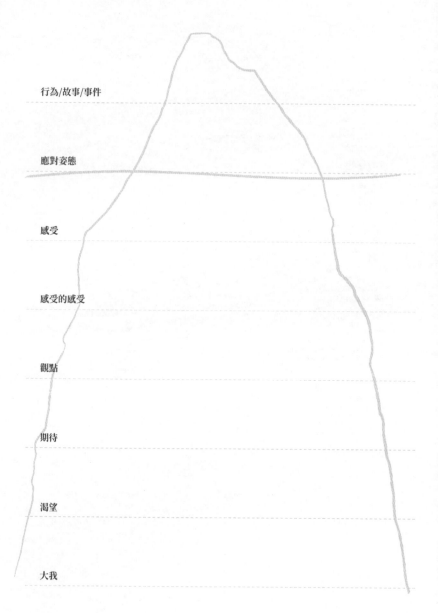

行為/故事/事件

應對姿態

感受

感受的感受

觀點

期待

渴望

大我

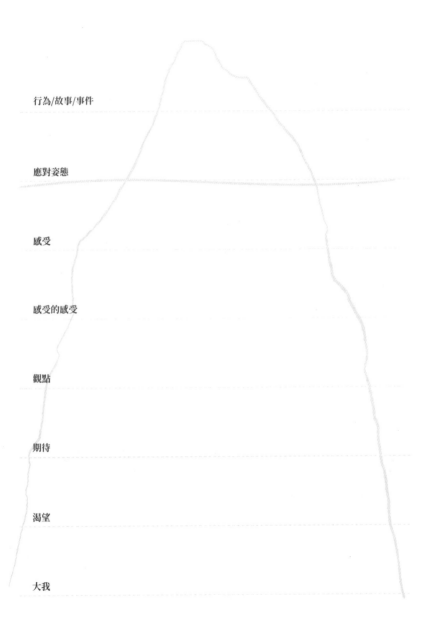

行為/故事/事件

應對姿態

感受

感受的感受

觀點

期待

渴望

大我

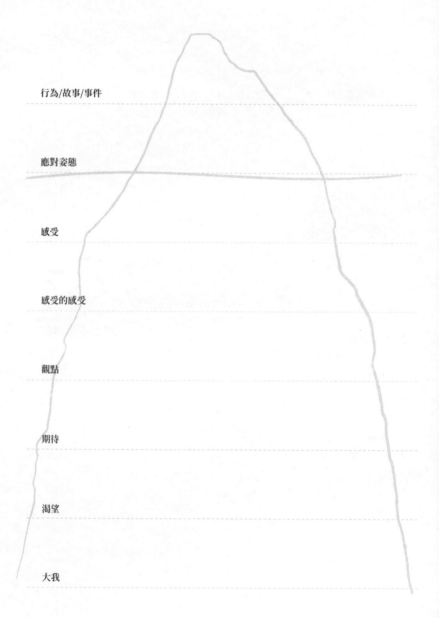

行為/故事/事件

應對姿態

感受

感受的感受

觀點

期待

渴望

大我

原來接納的感覺帶著一種愛與力量，一種寧靜淡定的感受。——《麥田裡的老師》

行為/故事/事件

應對姿態

感受

感受的感受

觀點

期待

渴望

大我

你聽到哪一句話？

身體會有感覺呢？

捕捉那種感覺，

並且停留在那種感覺，

完全的感受那種感覺。

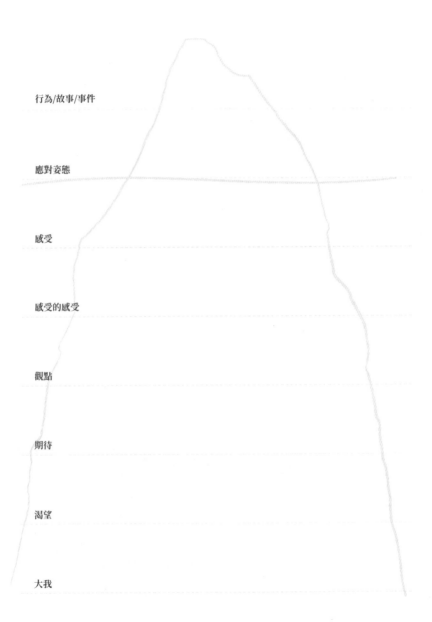

行為/故事/事件

應對姿態

感受

感受的感受

觀點

期待

渴望

大我

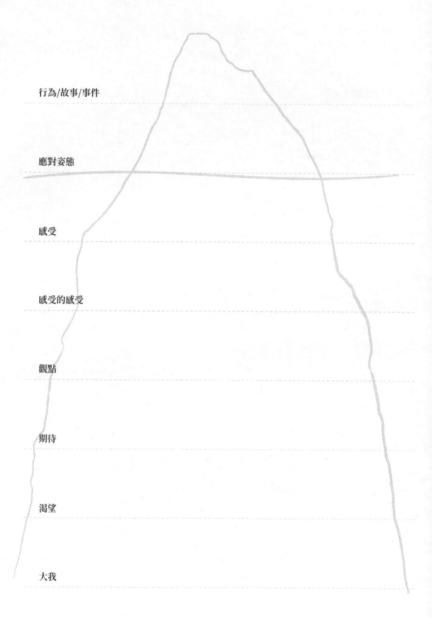

行為/故事/事件

應對姿態

感受

感受的感受

觀點

期待

渴望

大我

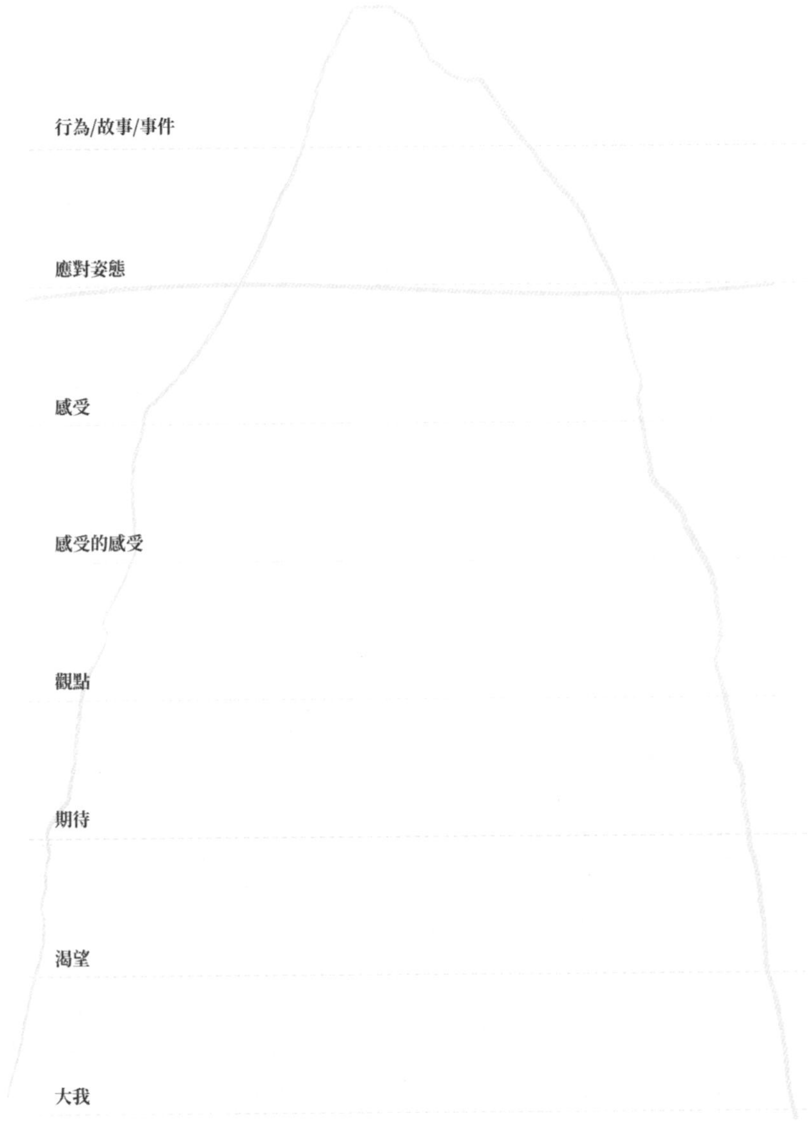

行為/故事/事件

應對姿態

感受

感受的感受

觀點

期待

渴望

大我

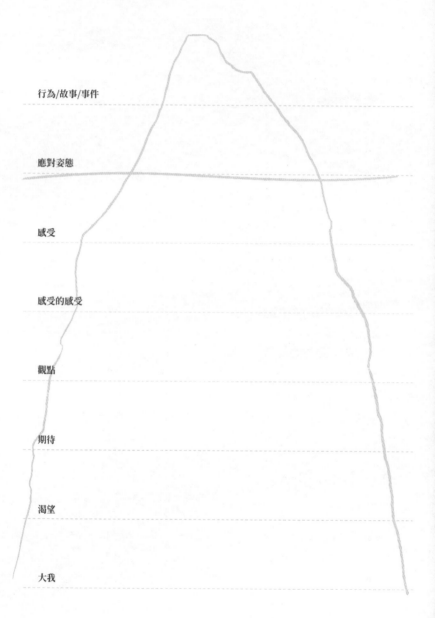

行為/故事/事件

應對姿態

感受

感受的感受

觀點

期待

渴望

大我

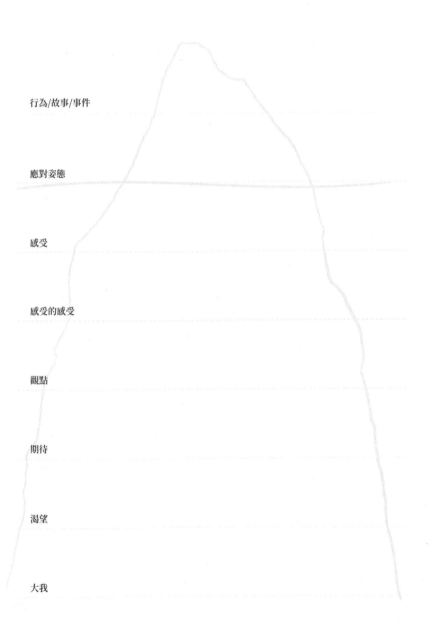

行為/故事/事件

應對姿態

感受

感受的感受

觀點

期待

渴望

大我

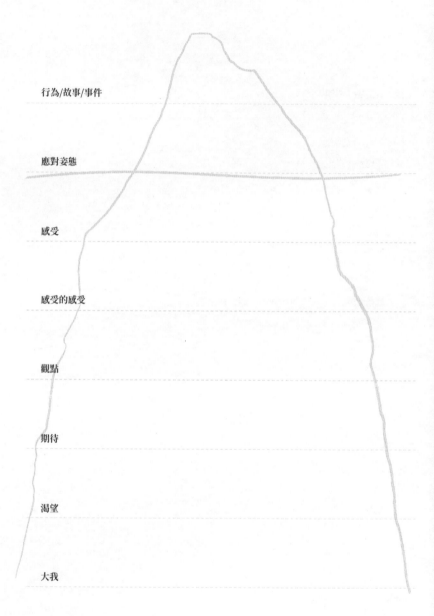

行為/故事/事件

應對姿態

感受

感受的感受

觀點

期待

渴望

大我

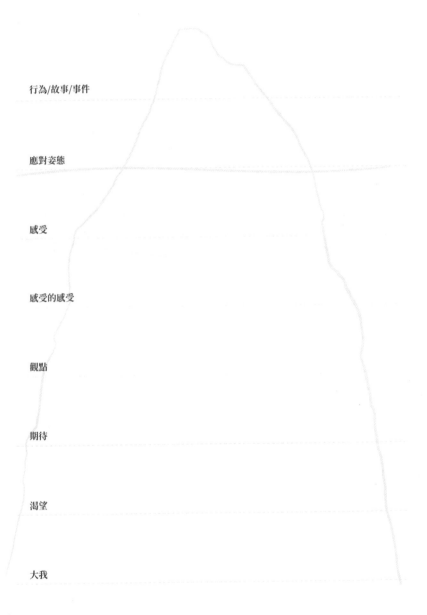

行為/故事/事件

應對姿態

感受

感受的感受

觀點

期待

渴望

大我

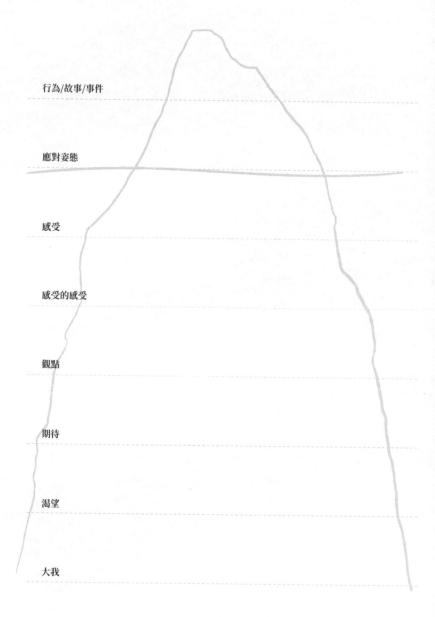

行為/故事/事件

應對姿態

感受

感受的感受

觀點

期待

渴望

大我

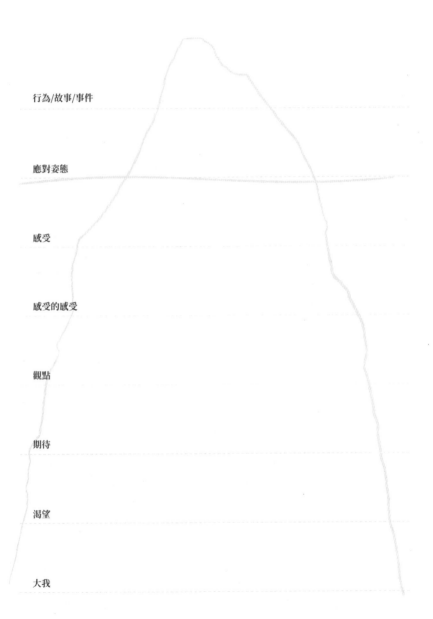

行為/故事/事件

應對姿態

感受

感受的感受

觀點

期待

渴望

大我

感受需要被承認，也需要有機會表達出來，而不是讓感受控制自己。

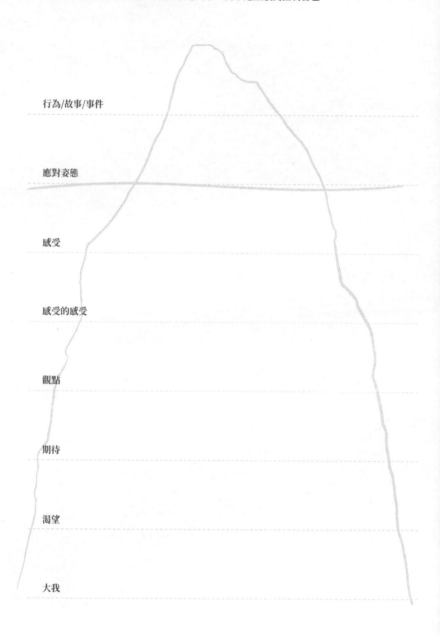

行為/故事/事件

應對姿態

感受

感受的感受

觀點

期待

渴望

大我

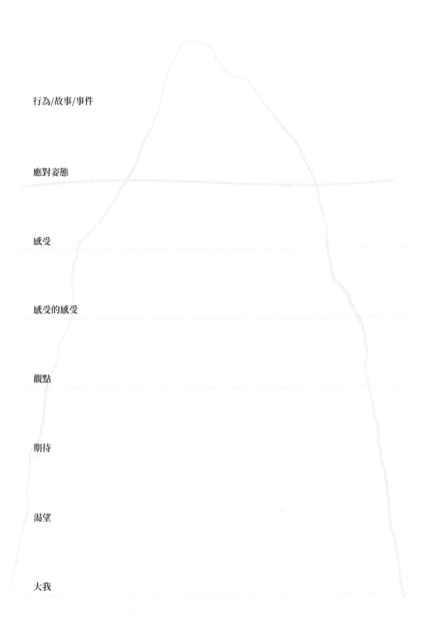

行為/故事/事件

應對姿態

感受

感受的感受

觀點

期待

渴望

大我

核對目標

在一個事件中，核對自己要的目標，這個目標是以自己為主，而不是將目標放在他人身上。

當他人做出某些行動，即使不合理，都要問自己，內在發生什麼？我做了什麼回應？

因此以自己為主的目標：
我可以如何照顧內在？
我可以做什麼樣的應對？

當媽媽抱怨孩子，總是不好好寫功課。

媽媽的目標通常是：孩子好好寫功課。

問話的人要探索，媽媽內在的發生。

媽媽有沒有生氣？

媽媽有沒有覺察自己的生氣？

媽媽有沒有照顧自己的生氣？

媽媽如何回應孩子？

因此目標會拉回：當孩子不寫功課，媽媽要覺知自己情緒，並且學會如何和諧應對孩子。

請寫下一個最近發生的事件，問問自己原本的期待為何？

檢視自己的期待，是否以自己為目標？還是只以他人改變為目標？

對於剛剛寫下的事件，請經過積極述情之後，試著重新核對自己目標，是否可以改變自己內在，以及改變應對的行為？成為自己的目標？

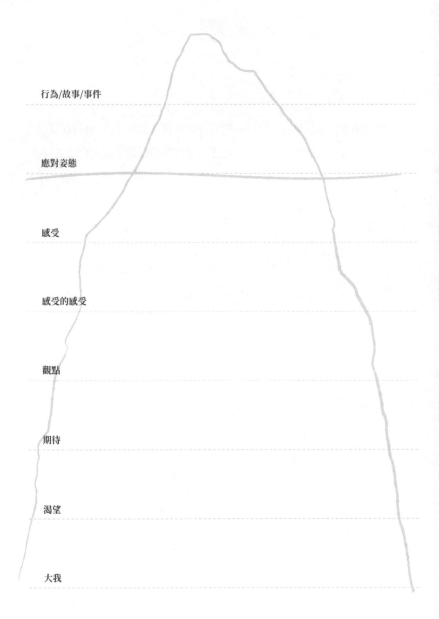

行為/故事/事件

應對姿態

感受

感受的感受

觀點

期待

渴望

大我

一個人所做的行為，和這個人的存在，那是不同的層面，因此我們學會了接納。

行為/故事/事件

應對姿態

感受

感受的感受

觀點

期待

渴望

大我

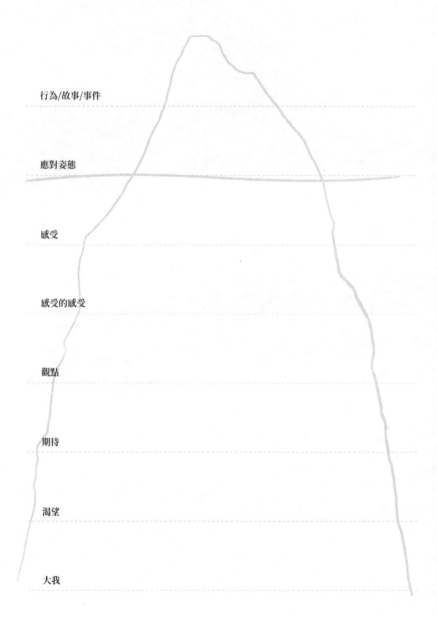

行為/故事/事件

應對姿態

感受

感受的感受

觀點

期待

渴望

大我

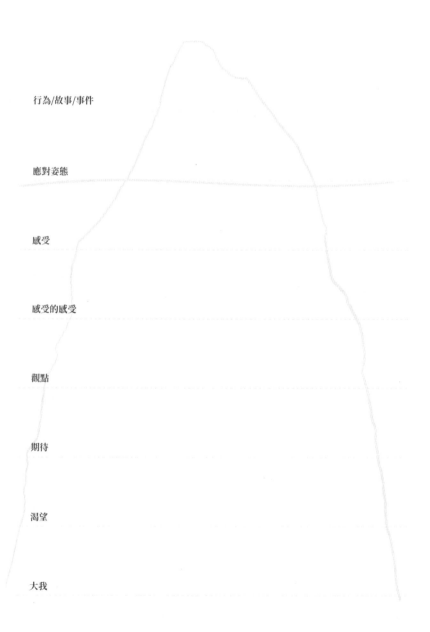

正向不是看資料、成績與表面，而是看到全景、渴望與資源。——《心教》

行為/故事/事件

應對姿態

感受

感受的感受

觀點

期待

渴望

大我

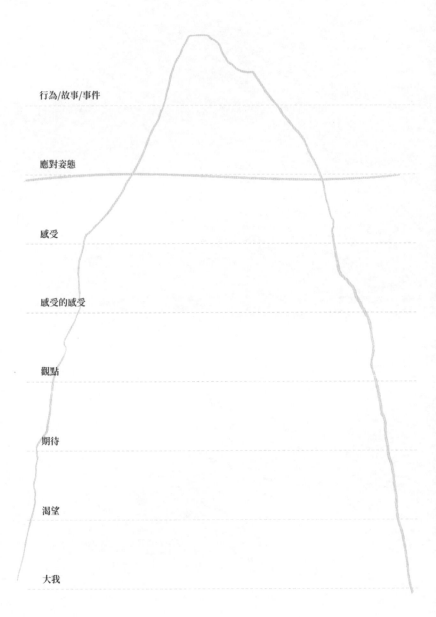

行為/故事/事件

應對姿態

感受

感受的感受

觀點

期待

渴望

大我

今天覺察自己的情緒了嗎？

每天覺察五次以上情緒，

並且回應自己情緒，

在遇到突發事件時，

現在就覺察一次吧！

要核對自己目標，為避免落在頭腦的思考，
可以感受為核心，來回探索自己的內在。

以選擇題核對感受：
有生氣嗎？有受傷嗎？有委屈嗎？有難過嗎？
如果有生氣，生氣什麼呢？
有生誰的氣嗎？有沒有生自己的氣？
生氣時你會做什麼？
這樣的生氣，以前有過嗎？
對這個生氣，你有什麼看法？
當生氣的時候，你有什麼期待？
你這麼生氣，你怎麼看自己呢？

任何情緒都可以，比如難過也可以這樣探索：

難過什麼？

難過時你會做什麼？

這樣難過，以前有過嗎？

對這個難過，你有什麼看法？

當難過的時候，你有什麼期待？

你這麼難過，怎麼看自己？

對於剛剛寫下的事件，在積極述情之後，選定目標之後，不妨回來探索自己內在，有什麼感覺呢？邀請與感受停頓久一點，問自己上頁提供的問句。

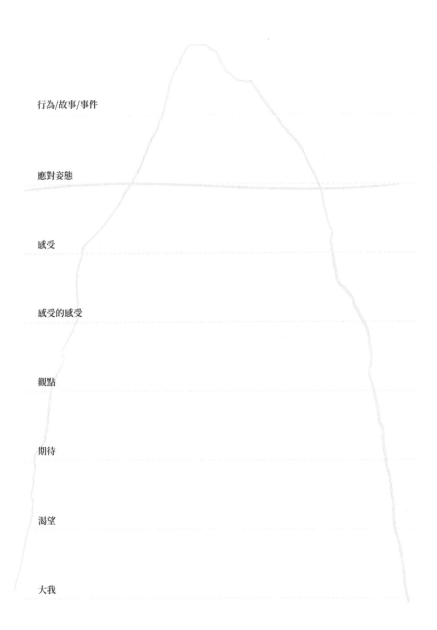

行為/故事/事件

應對姿態

感受

感受的感受

觀點

期待

渴望

大我

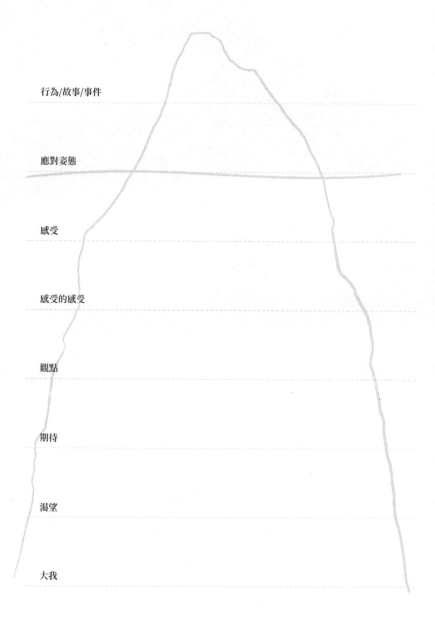

行為/故事/事件

應對姿態

感受

感受的感受

觀點

期待

渴望

大我

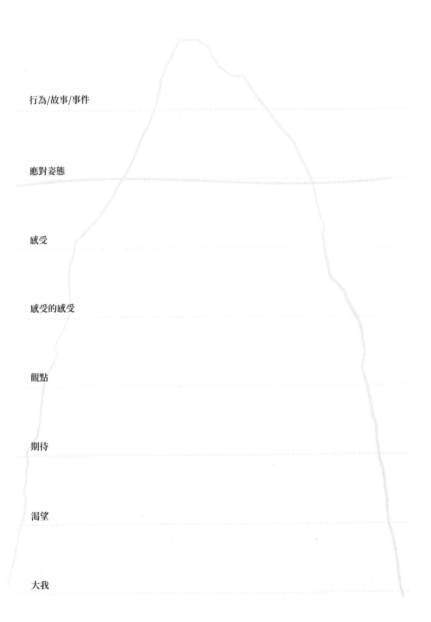

行為/故事/事件

應對姿態

感受

感受的感受

觀點

期待

渴望

大我

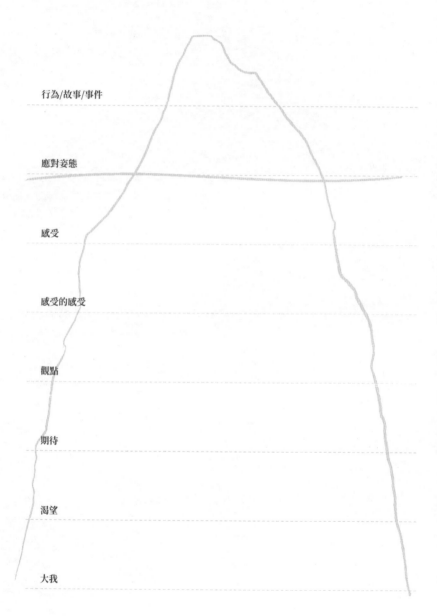

行為/故事/事件

應對姿態

感受

感受的感受

觀點

期待

渴望

大我

請自己練習給自己愛，給自己多一點接納，給自己多一點允許。——《閱讀深動力》

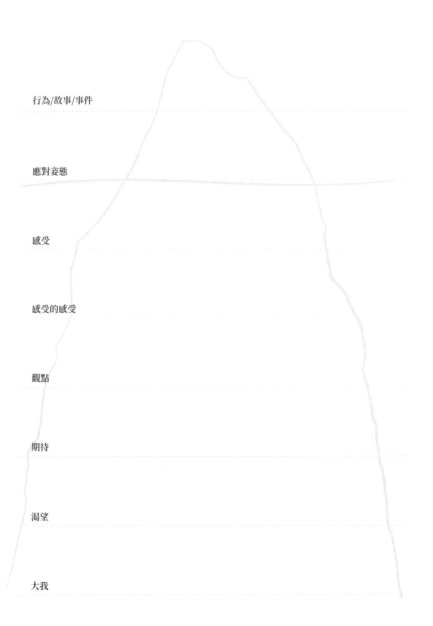

行為/故事/事件

應對姿態

感受

感受的感受

觀點

期待

渴望

大我

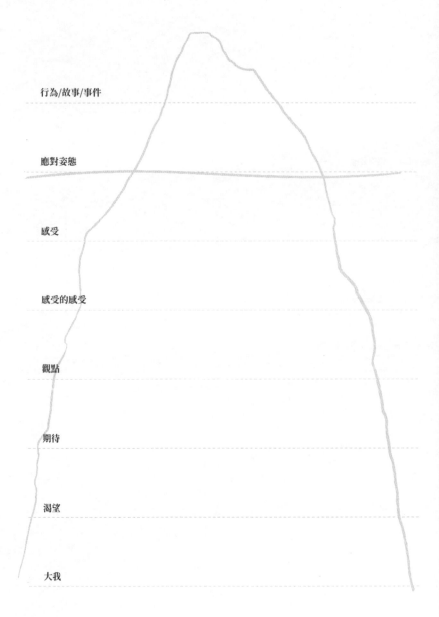

行為/故事/事件

應對姿態

感受

感受的感受

觀點

期待

渴望

大我

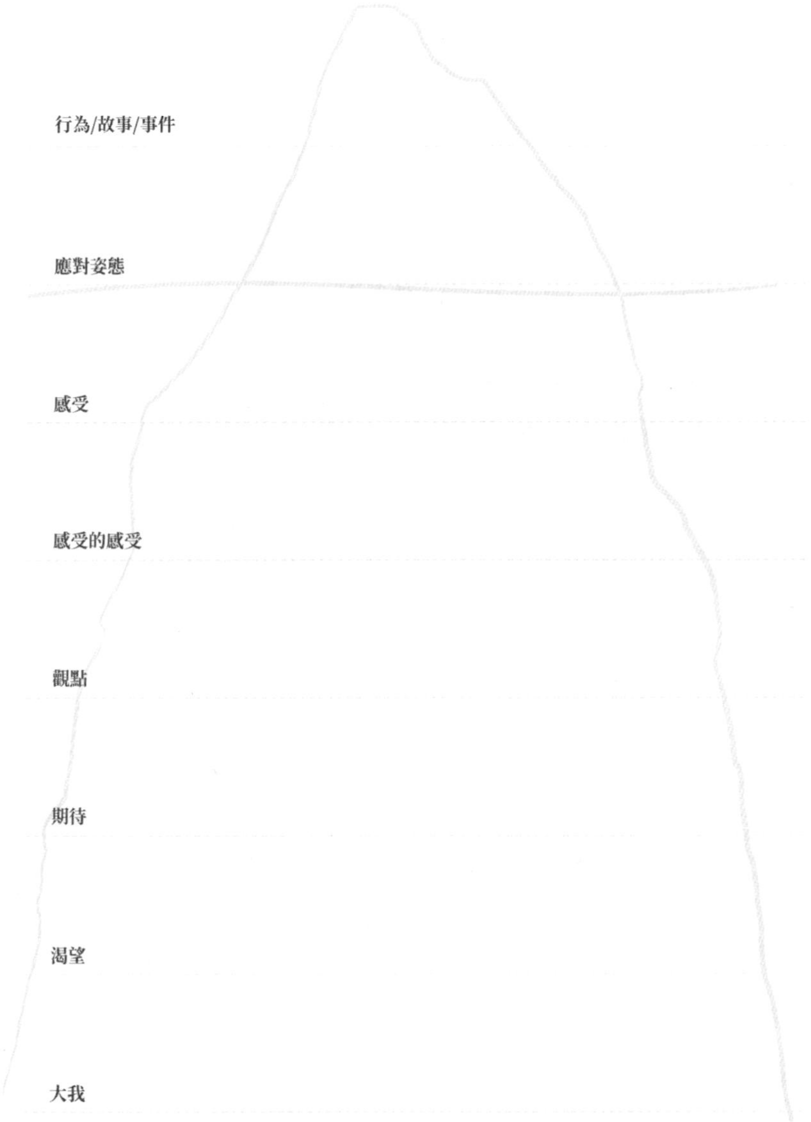

行為/故事/事件

應對姿態

感受

感受的感受

觀點

期待

渴望

大我

資源：

當你遇到痛苦，是什麼幫助你走過來？

當你遇到挫折，是什麼讓你沒放棄？

當你遇到困難，是什麼讓你願意往前？

你成長的過程中，有什麼是你的資源？讓你一直長大。

請回想過去的挫折，讓自己沉靜下來，列出自己成長至今的資源。

我大學聯考考四次，最後考上東海大學。

1. 我不想做苦力工作……我願意給自己機會。

2. 爸爸很愛我……爸爸的愛給我力量。

3. 我雖然失敗了，但是我並未放棄……不輕易放棄。

4. 我雖然怠惰，但是我仍有目標……我能堅持信念。

5. 我找到一個念書的方法……我有規劃的能力，只是比較慢而已。

6. 最後考試的半年，我每天在家煮飯、掃地，讓我的身心變得純淨
……我懂得如何安頓自己。

7. 我願意給自己機會，因為我看不少傳記，偉人也失敗多次……閱
讀給我豐富眼光。

8. 當兵的兩年，讓我意志力集中，學會如何看待自己……我有學習
與修正的能力。

9. 我常常寫日記，給自己鼓勵與反省……我擁有沉澱自己的能力。

10. 最後考試的半年，我拒絕所有朋友見面……我有壯士斷腕的決心。

請選擇一件事，列出自己十項資源。

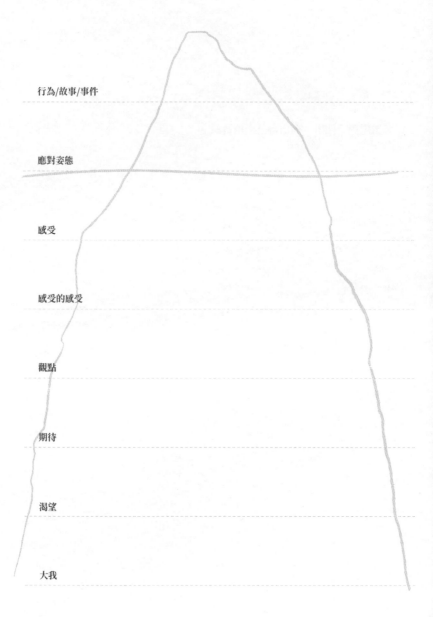

行為/故事/事件

應對姿態

感受

感受的感受

觀點

期待

渴望

大我

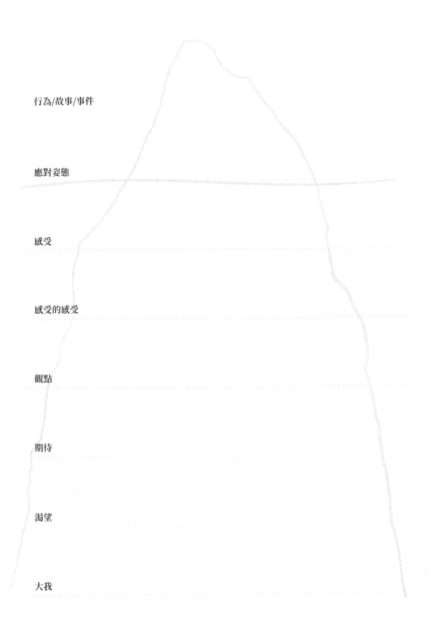

行為/故事/事件

應對姿態

感受

感受的感受

觀點

期待

渴望

大我

媽媽當年離開家，我從中獲得什麼資源？

1. 我常感到孤單，但是學會獨立，我能獨力完成任務。

2. 我感到孤單，但是會自己玩，學會了審美的能力，我有藝術品味。

3. 內在敏感，讓我有敏銳的觀察力。

4. 媽媽離開家，爸爸撐起全家，讓我有了典範，學會如何負責。

5. 我學會在家煮飯。

找一個痛苦的經驗，寫出自己從中獲得何資源？

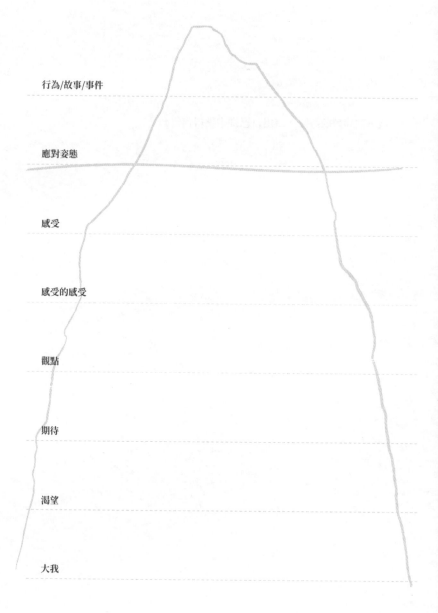

行為/故事/事件

應對姿態

感受

感受的感受

觀點

期待

渴望

大我

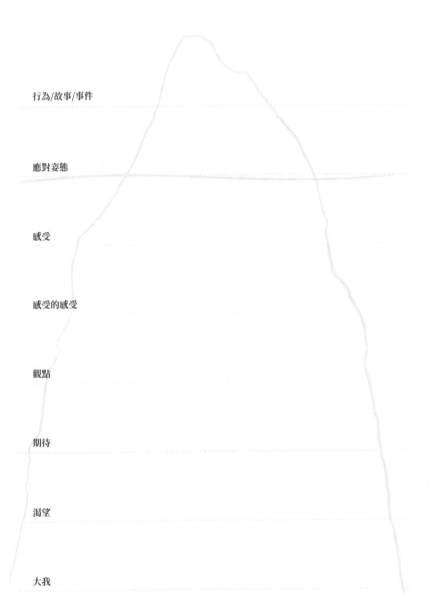

行為/故事/事件

應對姿態

感受

感受的感受

觀點

期待

渴望

大我

缺憾與資源，是相生相依。

當害怕出現的時候，我就會縮在一旁，害怕常讓我感到困擾，但這
個害怕提醒我，要懂得保護自己。

當我害怕的時候，我會讓自己想別的，所以我擁有想像的能力，讓
我成為一個設計師。

因為過去常被責罵，所以我學會了小心，不像我的同學莽撞，但是
我也學會了退縮，比較不敢嘗試新的事物，或者不敢冒險⋯⋯

我可以怎麼整合我的資源？留下好的部分，並且去除負面的影響？

寫出自己的缺憾，亦列出自己的資源。

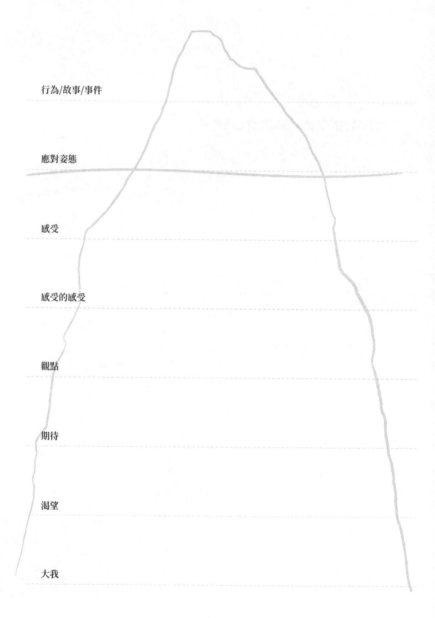

行為/故事/事件

應對姿態

感受

感受的感受

觀點

期待

渴望

大我

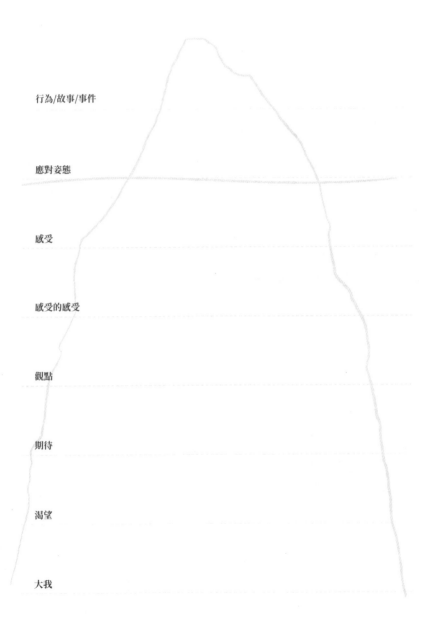

行為/故事/事件

應對姿態

感受

感受的感受

觀點

期待

渴望

大我

渴望：用豐富的眼光看世界

爸爸罵過我，也有愛過我嗎？

爸爸有哪些優點呢？

還記得爸爸愛我的畫面嗎？

爸爸那個身影？你覺得自己愛他？

能在愛的事件裡停留，體驗一下那感覺嗎？

想像一個跟你有過衝突的人，或者你的父母，試著用多元豐富的眼光看他們，回答上述問句，慢慢的經驗與書寫：

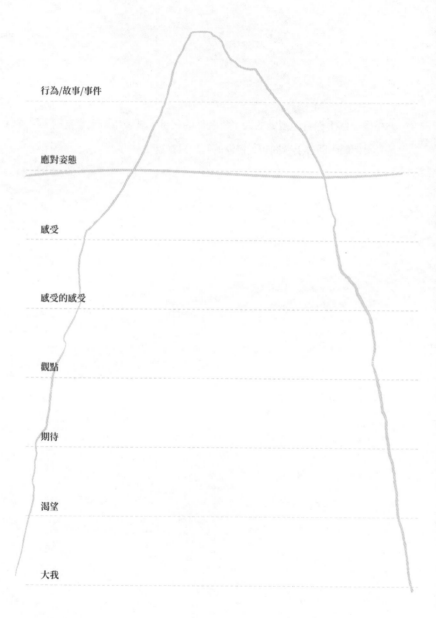

行為/故事/事件

應對姿態

感受

感受的感受

觀點

期待

渴望

大我

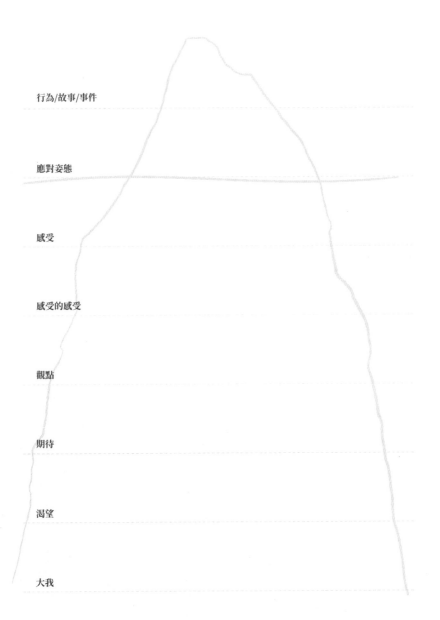

行為/故事/事件

應對姿態

感受

感受的感受

觀點

期待

渴望

大我

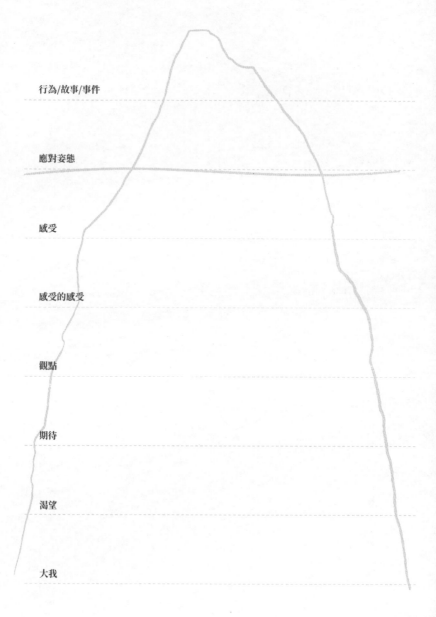

行為/故事/事件

應對姿態

感受

感受的感受

觀點

期待

渴望

大我

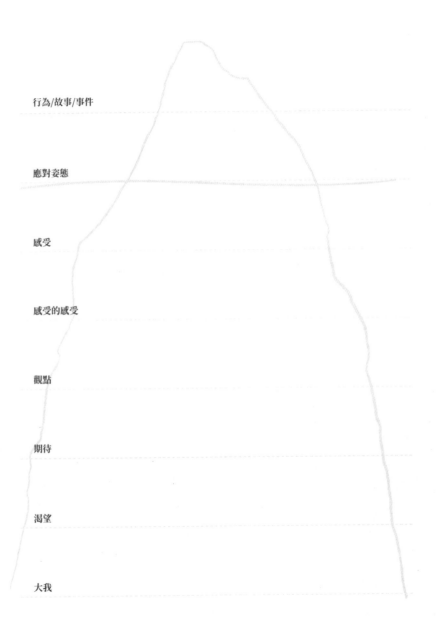

行為/故事/事件

應對姿態

感受

感受的感受

觀點

期待

渴望

大我

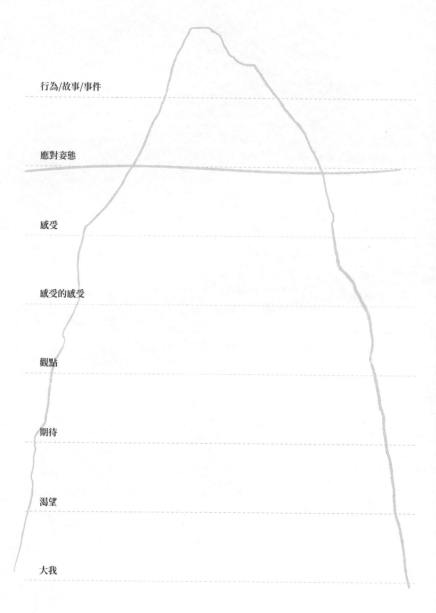

行為/故事/事件

應對姿態

感受

感受的感受

觀點

期待

渴望

大我

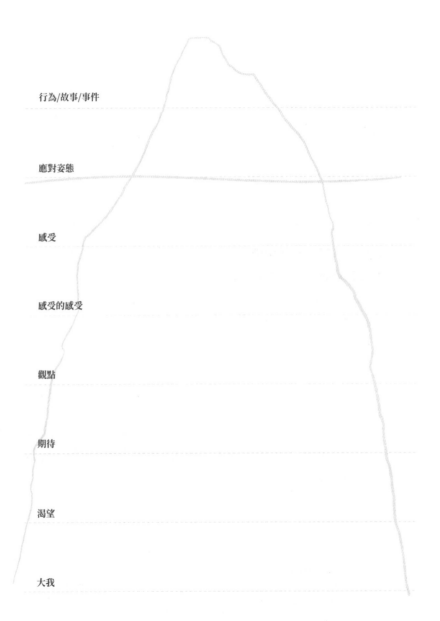

行為/故事/事件

應對姿態

感受

感受的感受

觀點

期待

渴望

大我

渴望：

今天的我會愛當年的自己嗎？

會接納當年的自己嗎？

我看得見自己的價值嗎？

我允許自己有選擇的自由嗎？

如果我願意愛自己，我會怎麼愛自己？

我會怎麼擁抱當年的自己呢？

我曾經體驗過愛嗎？

列出一個十八歲以前的事件，比如考試不理想，被責罵或失落。事情沒做好，被責罰或忽略了。試著以述情的方式，敘述完一遍，再以上一頁問題自問。

「你笑我和你們不一樣，我卻覺得你們都一樣。」有時候不是自己願意「特別」，卻隱含著豐富的創造力，還有深刻的寓意。——《給長耳兔的 36 封信》

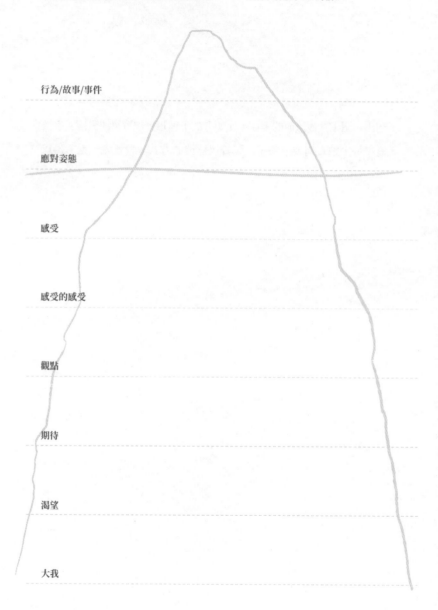

行為/故事/事件

應對姿態

感受

感受的感受

觀點

期待

渴望

大我

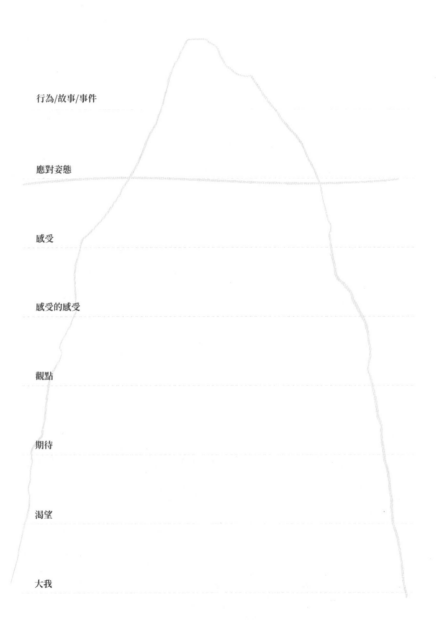

行為/故事/事件

應對姿態

感受

感受的感受

觀點

期待

渴望

大我

我們是否可以說我愛你，雖然我不喜歡你做的。這份愛並非存於表面，不是因為他們獲得的成就，愛是彼此關係的基礎。

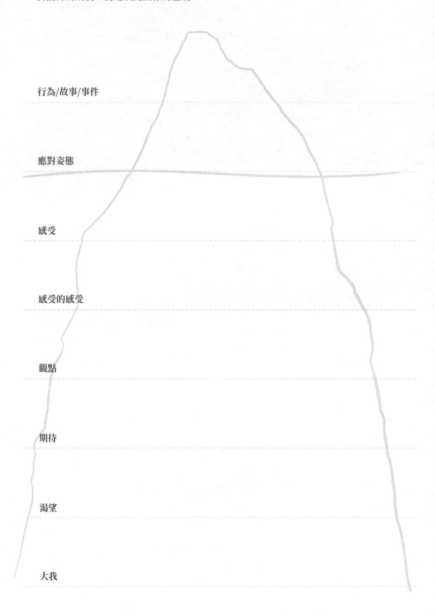

行為/故事/事件

應對姿態

感受

感受的感受

觀點

期待

渴望

大我

行為/故事/事件

應對姿態

感受

感受的感受

觀點

期待

渴望

大我

記錄今天小小的美，小小的努力。哪怕是背了一個單字，聽了一句好棒的話，都記下來。

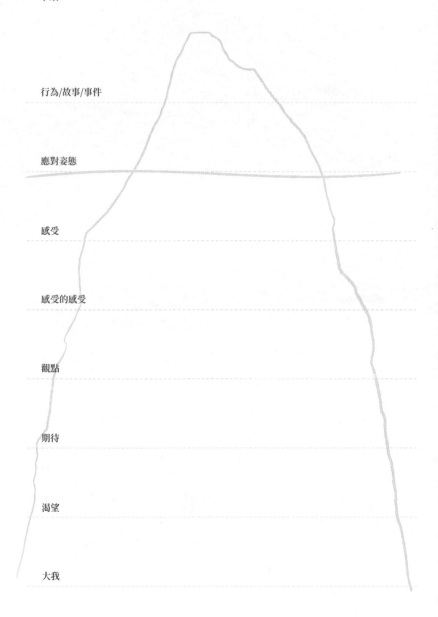

行為/故事/事件

應對姿態

感受

感受的感受

觀點

期待

渴望

大我

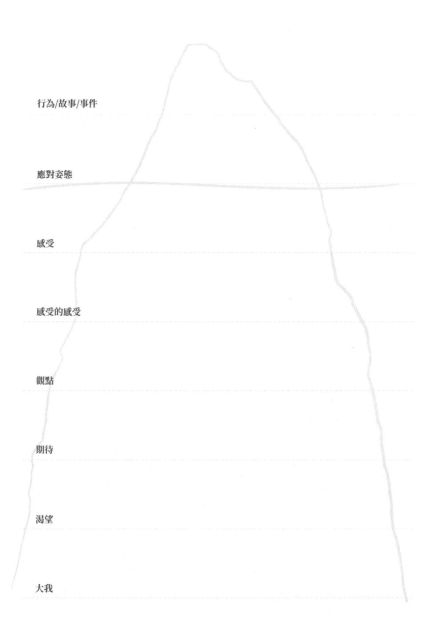

行為/故事/事件

應對姿態

感受

感受的感受

觀點

期待

渴望

大我

學習運用冰山，抽一些時間，透過積極述情的方式，寫出一段事件，再以冰山圖填上各層次的探索，看看你發現了什麼？

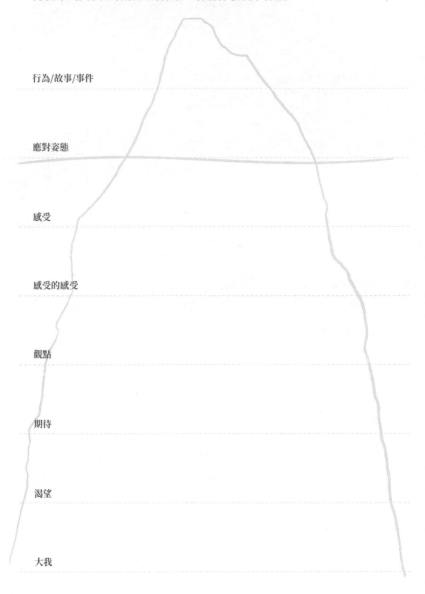

行為/故事/事件

應對姿態

感受

感受的感受

觀點

期待

渴望

大我

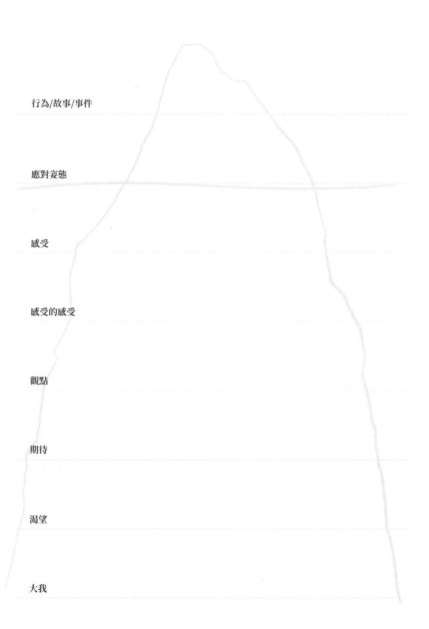

行為/故事/事件

應對姿態

感受

感受的感受

觀點

期待

渴望

大我

你是一個寶藏，你是一個奇蹟，請愛你自己，因為你是宇宙裡的一份子。——薩提爾

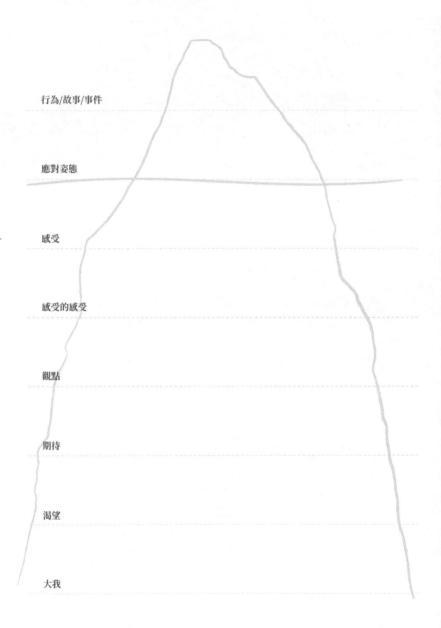

行為/故事/事件

應對姿態

感受

感受的感受

觀點

期待

渴望

大我

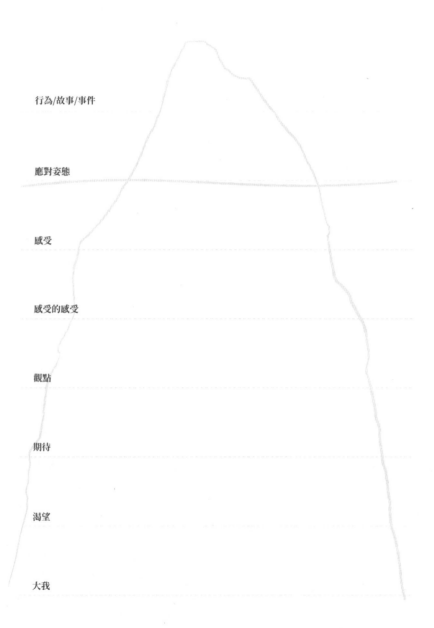

行為/故事/事件

應對姿態

感受

感受的感受

觀點

期待

渴望

大我

這是我的孩子，我愛我的孩子。先有了這些愛，我們再去看孩子的表現。

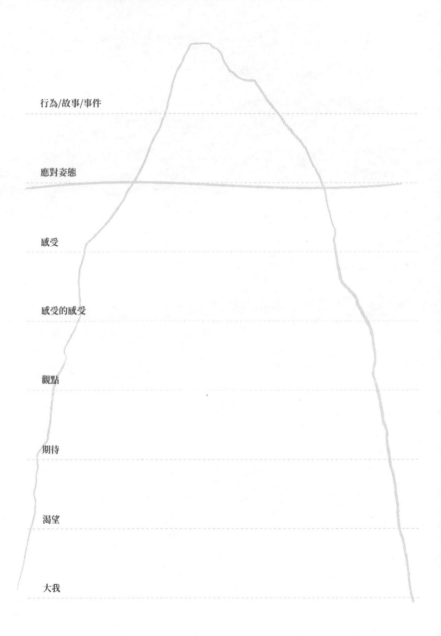

行為/故事/事件

應對姿態

感受

感受的感受

觀點

期待

渴望

大我

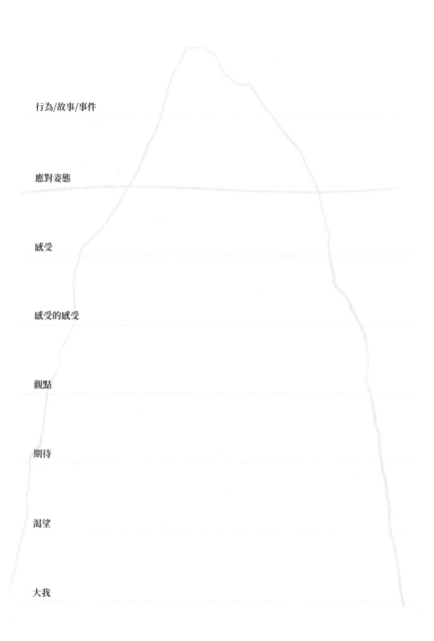

行為/故事/事件

應對姿態

感受

感受的感受

觀點

期待

渴望

大我

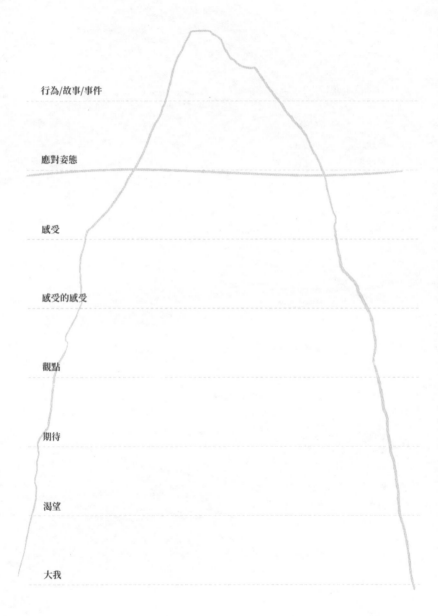

行為/故事/事件

應對姿態

感受

感受的感受

觀點

期待

渴望

大我

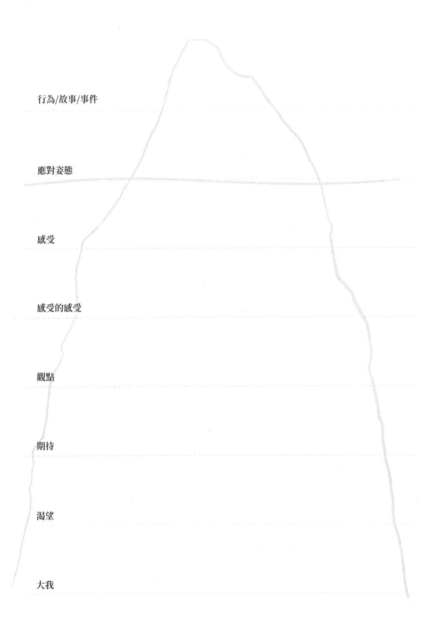

行為/故事/事件

應對姿態

感受

感受的感受

觀點

期待

渴望

大我

覺察自己今天你傾聽了嗎？

聽懂對方的意思了嗎？

你能碰觸對方的渴望嗎？

今天傾聽自己了嗎？

能用豐富的眼光看自己嗎？

能碰觸到自己的渴望嗎？

如果不能的話，就利用一點兒時
間，運用冰山讓自己沉澱。

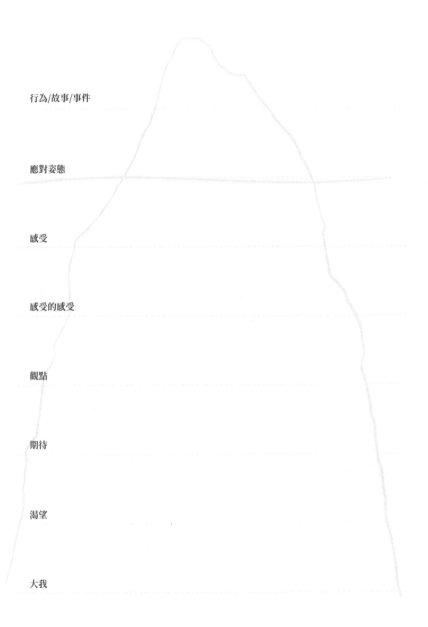

行為/故事/事件

應對姿態

感受

感受的感受

觀點

期待

渴望

大我

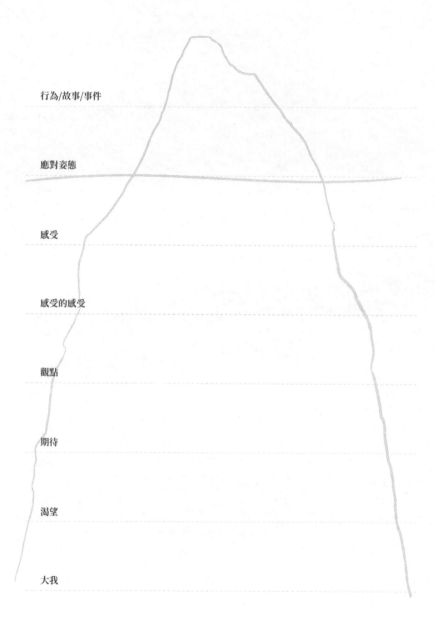

行為/故事/事件

應對姿態

感受

感受的感受

觀點

期待

渴望

大我

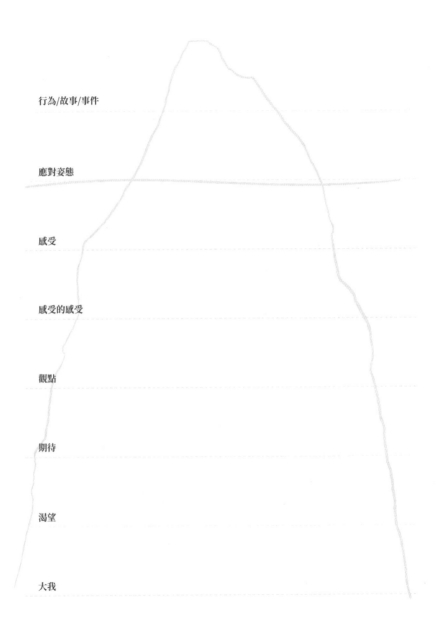

行為/故事/事件

應對姿態

感受

感受的感受

觀點

期待

渴望

大我

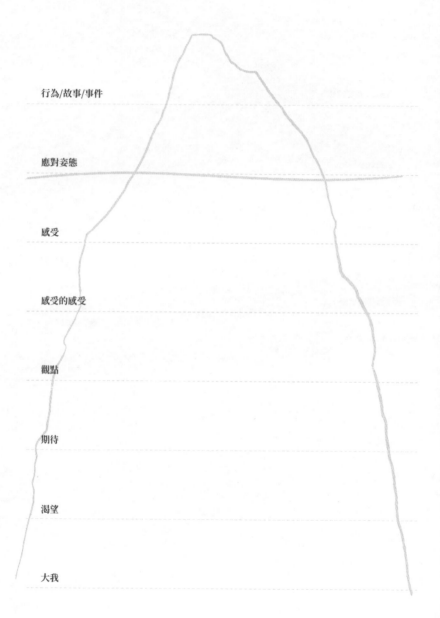

行為/故事/事件

應對姿態

感受

感受的感受

觀點

期待

渴望

大我

去欣賞你的家人，欣賞你的朋友，在他們並未做什麼時說：我欣賞和感謝你，就是
因為你的存在

行為/故事/事件

應對姿態

感受

感受的感受

觀點

期待

渴望

大我

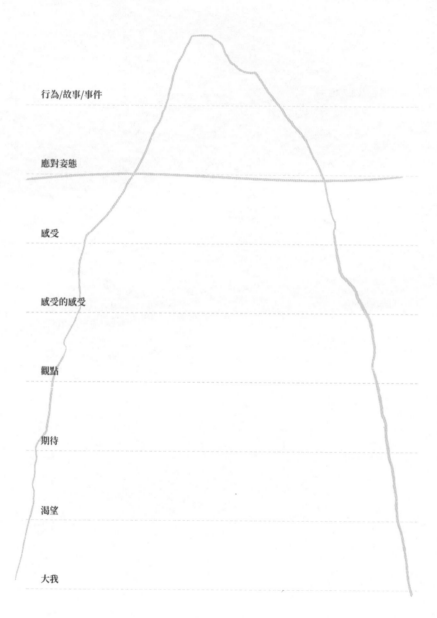

行為/故事/事件

應對姿態

感受

感受的感受

觀點

期待

渴望

大我

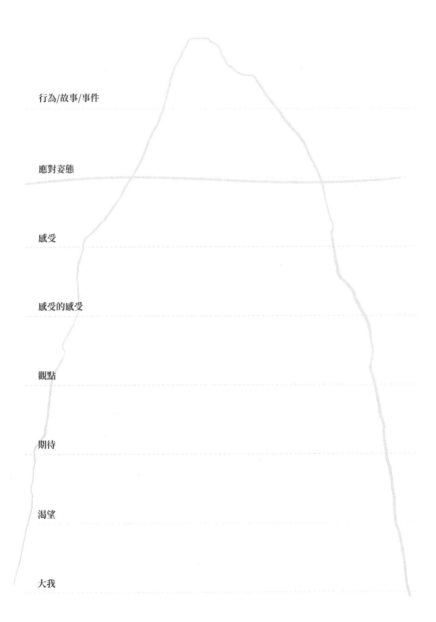

行為/故事/事件

應對姿態

感受

感受的感受

觀點

期待

渴望

大我

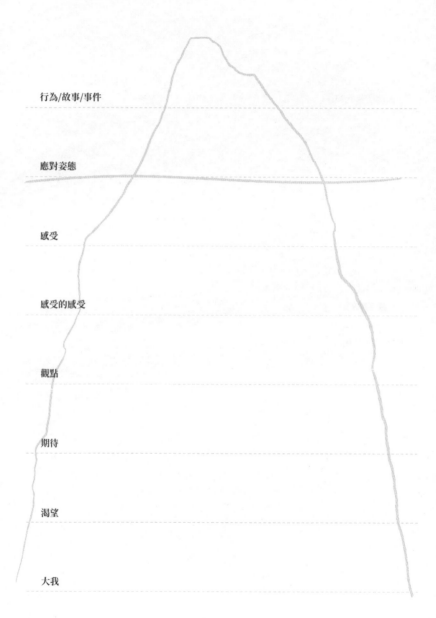

行為/故事/事件

應對姿態

感受

感受的感受

觀點

期待

渴望

大我

暗示就是一種心靈的力量，當沮喪、挫折的時候，請容許自己稍事休息，莫對自己負面解讀，那將成為一道「負面的暗示」。——《給長耳兔的 36 封信》

行為/故事/事件

應對姿態

感受

感受的感受

觀點

期待

渴望

大我

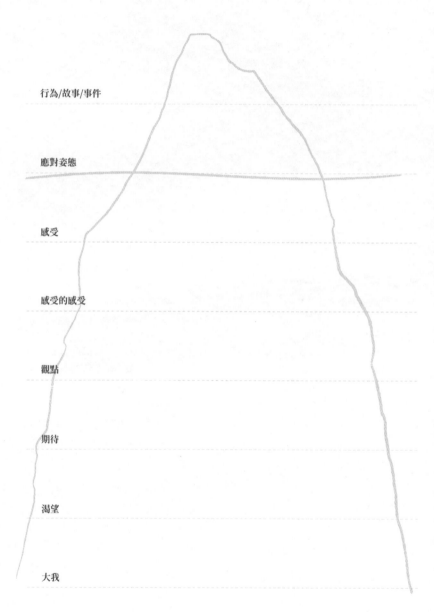

行為/故事/事件

應對姿態

感受

感受的感受

觀點

期待

渴望

大我

我應允我自己帶著愛，來發現自己和運用自己。——薩提爾

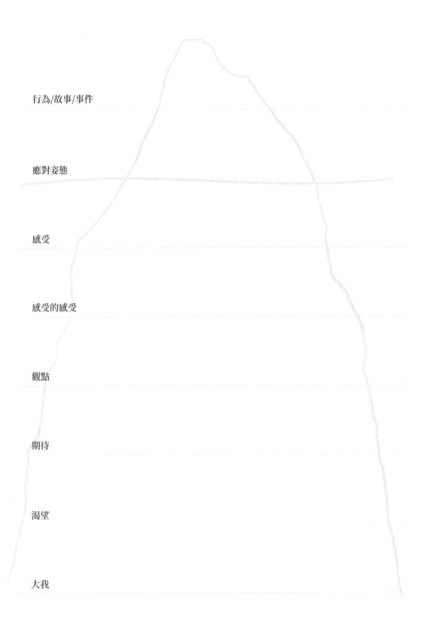

行為/故事/事件

應對姿態

感受

感受的感受

觀點

期待

渴望

大我

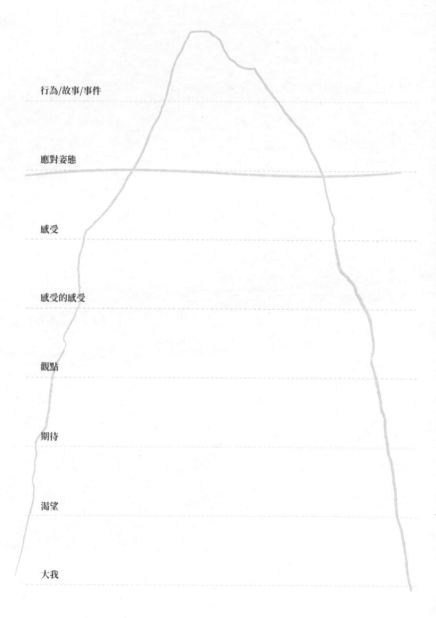

行為/故事/事件

應對姿態

感受

感受的感受

觀點

期待

渴望

大我

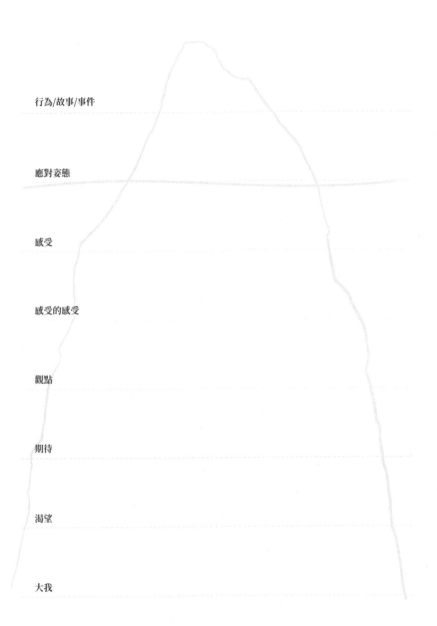

行為/故事/事件

應對姿態

感受

感受的感受

觀點

期待

渴望

大我

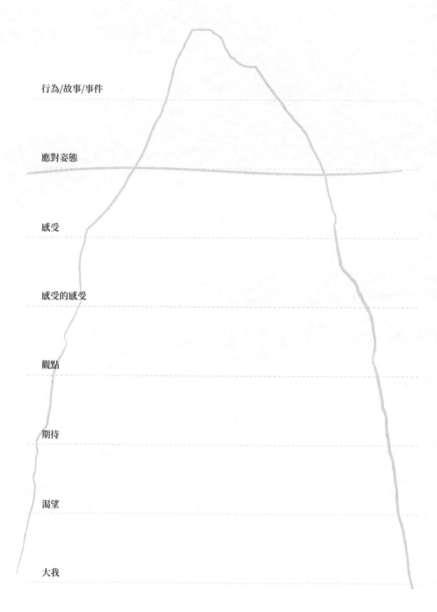

行為/故事/事件

應對姿態

感受

感受的感受

觀點

期待

渴望

大我

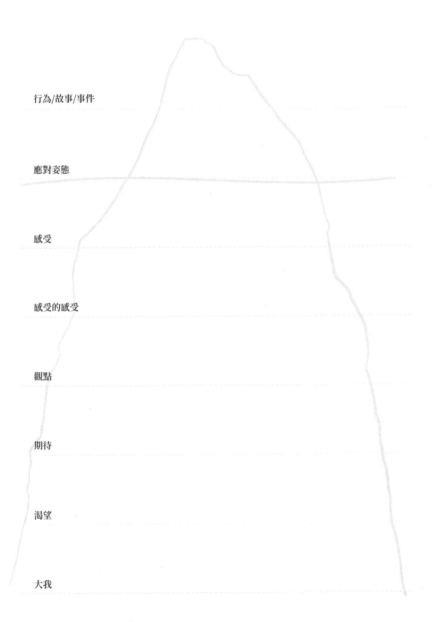

行為/故事/事件

應對姿態

感受

感受的感受

觀點

期待

渴望

大我

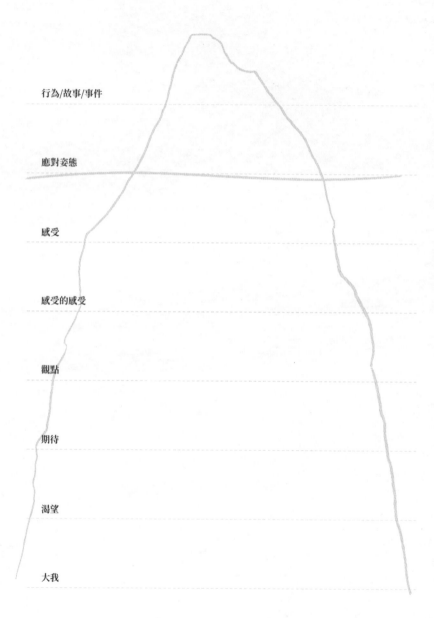

行為/故事/事件

應對姿態

感受

感受的感受

觀點

期待

渴望

大我

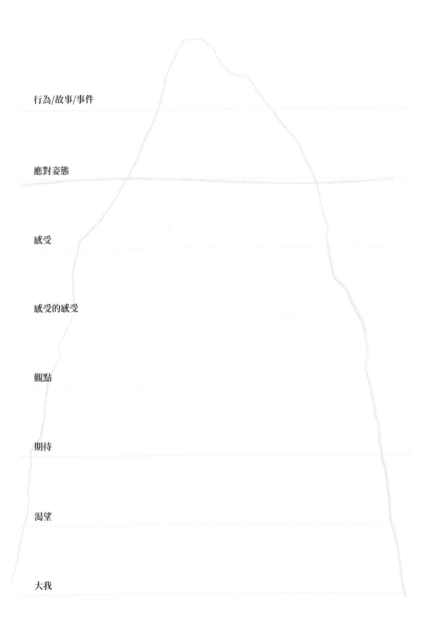

行為/故事/事件

應對姿態

感受

感受的感受

觀點

期待

渴望

大我

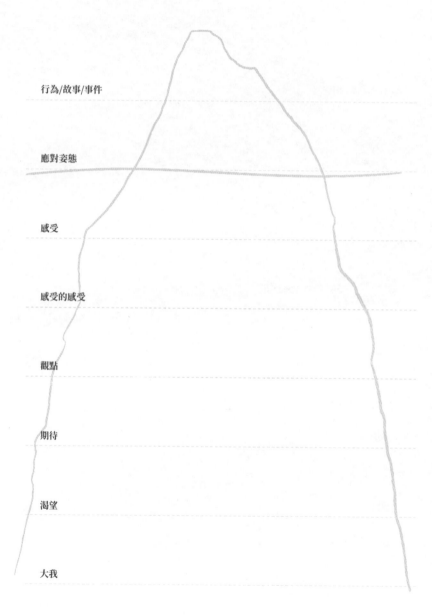

行為/故事/事件

應對姿態

感受

感受的感受

觀點

期待

渴望

大我

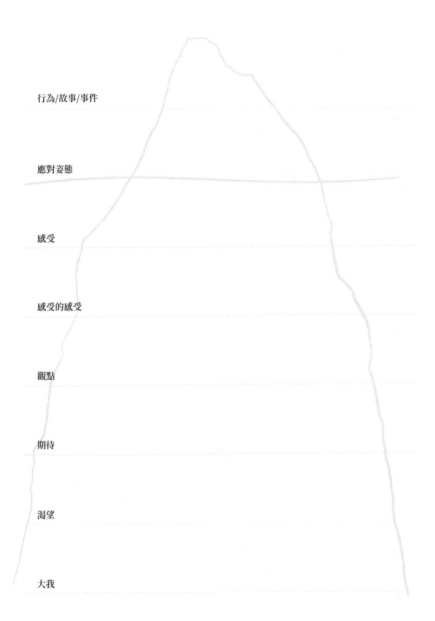

行為/故事/事件

應對姿態

感受

感受的感受

觀點

期待

渴望

大我

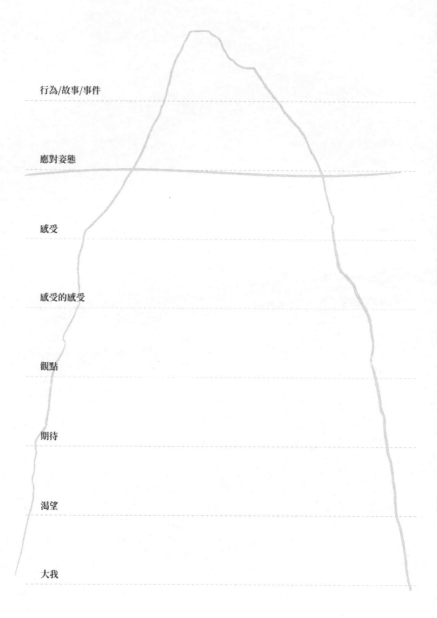

行為/故事/事件

應對姿態

感受

感受的感受

觀點

期待

渴望

大我

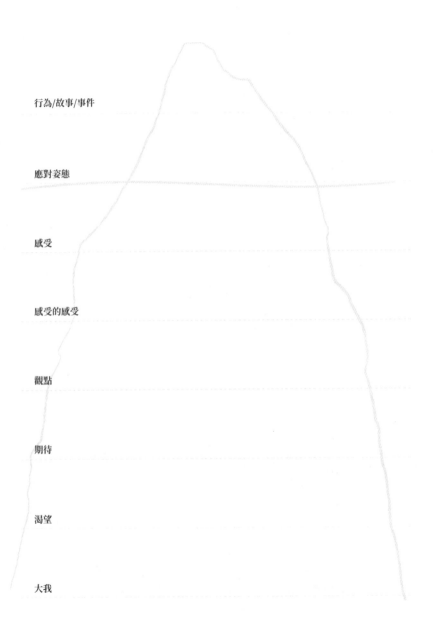

行為/故事/事件

應對姿態

感受

感受的感受

觀點

期待

渴望

大我

冰山練習曲

作者／李崇建、甯筱茜
責任編輯／盧宜穗
封面設計／Bianco Tsai
美術設計／甯筱茜
內頁排版／連紫吟・曹任華
行銷企劃／蔡晨欣

天下雜誌群創辦人／殷允芃
董事長兼執行長／何琦瑜
媒體暨產品事業群
總經理／游玉雪
副總經理／林彥傑
總監／李佩芬
行銷總監／林育菁
版權主任／何晨瑋、黃微真

出版者／親子天下股份有限公司
地址／台北市 104 建國北路一段 96 號 4 樓
電話／（02）2509-2800　傳真／（02）2509-2462
網址／www.parenting.com.tw
讀者服務專線／（02）2662-0332　週一～週五：09:00~17:30
讀者服務傳真／（02）2662-6048　客服信箱｜parenting@cw.com.tw

法律顧問／台英國際商務法律事務所・羅明通律師
製版印刷／中原造像股份有限公司
裝訂廠／聿成裝訂有限公司
總經銷／大和圖書有限公司 電話：（02）8990-2588

出版日期／2021 年 5 月第一版第一次印行
　　　　　2024 年 9 月第一版第十三次印行
定　價／350 元
書　號／DKEB 21001
ISBN ／978-957-503-989-9（精裝）

冰山練習曲/李崇建, 甯筱茜 文.圖. -- 第一版. --
臺北市：親子天下股份有限公司, 2021.05
208 面；14.8x21 公分
ISBN 978-957-503-989-9(精裝)

1. 自我實現 2. 生活指導

177.2　　　　　　　　　　　110005219

訂購服務：
親子天下 Shopping ／ shopping.parenting.com.tw
海外・大量訂購／ parenting@cw.com.tw
書香花園／台北市建國北路二段 6 巷 11 號 電話（02）2506-1635
劃撥帳號／ 50331356 親子天下股份有限公司